Avaguz Nurmanova

**Florescim**

CU00735443

Ayaguz Nurmanova

# Florescimento cultural em Espanha muçulmana

ScienciaScripts

This book is a translation from the original published under ISBN 978-620-6-17850-7.

Publisher:
Sciencia Scripts
is a trademark of
Dodo Books Indian Ocean Ltd. and OmniScriptum S.R.L publishing group

120 High Road, East Finchley, London, N2 9ED, United Kingdom
Str. Armeneasca 28/1, office 1, Chisinau MD-2012, Republic of Moldova, Europe

ISBN: 978-620-7-30140-9

# Conteúdo

A presente monografia analisa o período de domínio muçulmano na Espanha medieval, de 711 a 1031 d.C. No entanto, para contextualizar este período, é importante analisar o que se passava em Espanha antes da invasão muçulmana, bem como o que se passava no mundo conhecido, em particular na bacia do Mediterrâneo, entre os séculos I e XI. Por exemplo, o império muçulmano expandiu-se rapidamente nos séculos VII e VIII, acabando por cobrir áreas desde Espanha até ao rio Indo e controlando todas as rotas comerciais do Mediterrâneo.

# INTRODUÇÃO

O objetivo desta monografia é examinar os factores que tornaram possível o florescimento cultural entre muçulmanos, judeus e cristãos na Espanha islâmica do século X, durante o governo do líder muçulmano omíada Abd al-Rahman III e do seu vizir judeu (ministro de Estado) Hasdai ibn Shaprut. O documento explora a forma como factores históricos, sociais e pessoais tornaram possível a cooperação entre estes dois líderes. O estudo examina a forma como a sua cooperação conduziu a um extraordinário florescimento cultural no século X, que lançou as bases para um florescimento cultural ainda maior nos séculos seguintes e lançou os alicerces de grande parte do Renascimento europeu. Abd al-Rahman III, ou Abderahman, como é conhecido em latim, viveu de 891 a 961. Governou de 912 a 961, primeiro como emir e depois como califa autoproclamado. O judeu Hasdai ibn Shaprut viveu de 915 a 970. Foi vizir de Abd al-Rahman III, entre os anos 940 e 961, e de al-Hakam II, entre 961 e 970.

O esplendor do século X pode ser resumido da seguinte forma. No ano 900, a cidade de Córdova, no al-Andalus, tinha atingido o seu apogeu. Era um centro internacional de comércio e de ensino. A sua mistura de arte e arquitetura muçulmanas com influências romanas e visigóticas fez dela uma bela cidade. Tinha muitas mesquitas, sinagogas, fontes e banhos públicos. Em Córdova viviam pelo menos 100.000 pessoas de diferentes nacionalidades[1]. Era um centro de atividade intelectual, atraindo tanto estudiosos muçulmanos como judeus. O afluxo de conhecimentos científicos e médicos muçulmanos, bem como os avanços agrícolas e tecnológicos do Oriente, contribuíram para o seu sucesso. Existiam 70 bibliotecas na cidade. A biblioteca do califa continha cerca de 400 000 volumes[2]. Muçulmanos e judeus fundaram escolas e muitas das grandes obras intelectuais foram estudadas e traduzidas para outras línguas.

A decoração de Córdova atingiu o seu auge no século X, durante o reinado de Abd al-Rahman III, quando foram importados de Constantinopla mármore e

---

[1] Jane S. Gerber, The Jews of Spain: A History of the Sephardic Experience [Os Judeus de Espanha: Uma História da Experiência Sefardita] (Nova Iorque: Free Press, 1992), 28.
[2] Ibid., 29.

pedras semipreciosas para a construção de um novo palácio. O estadista judeu Hasdai ibn Shaprut descreveu o al-Andalus da seguinte forma A terra é rica, abundante em rios, nascentes e aquedutos; uma terra de milho, azeite e vinho, frutas e todos os tipos de iguarias; há jardins e pomares, todos os tipos de árvores frutíferas, incluindo as folhas das árvores em que se alimenta o bicho-da-seda da amoreira.... Também se encontram entre nós montanhas, com veios de enxofre, pórfiro, mármore e cristal. Mercadores e negociantes de todas as partes da terra se reúnem lá ... trazendo especiarias, pedras preciosas, bens esplêndidos para reis e príncipes e todas as coisas desejáveis do Egipto. O nosso rei acumulou tesouros muito grandes de prata, ouro, coisas preciosas e jóias como nenhum rei jamais acumulou. O seu rendimento anual é de cerca de 100.000 moedas de ouro, a maior parte das quais provém dos mercadores que aqui chegam de diferentes países e ilhas[3]. A fama da cidade era conhecida muito para além do Al-Andalus. A monja alemã Hrotsvita de Gandersheim (c. 940-1002), próxima dos círculos diplomáticos, chamou a Córdova "uma nova cidade imperial, uma joia cintilante do mundo que brilha nas regiões ocidentais". Em al-Andalus, os homens da classe aristocrática, muçulmanos, judeus ou cristãos, rodeavam-se de pessoas cultas e apoiavam os jovens talentosos. Os muçulmanos tinham um afeto especial pela beleza da língua árabe. Possuíam uma rica tradição oral que valorizava a capacidade poética e linguística. O árabe era também a língua dos textos sagrados muçulmanos - o Alcorão e o Hadith - e era considerada a língua preferida de Deus. A maioria dos andaluzes, independentemente da sua religião, falava fluentemente árabe para ter sucesso nos negócios. A dicção e expressão árabes perfeitas eram um pré-requisito para a promoção em cargos públicos. A escrita e a recitação de poesia não eram apenas valorizadas nos círculos de elite, mas eram também populares entre algumas das classes mais baixas. A poesia árabe era utilizada nos assuntos quotidianos da corte; a correspondência oficial do governo era frequentemente escrita em verso. A poesia era também utilizada na esfera religiosa, no

---

[3] Joseph F. O'Callaghan, A History of Medieval Spain (Ithaca: Cornell University Press, 1975), 116.

4

entretenimento secular e na descrição de batalhas. Al-Andalus destacou-se dos outros centros culturais muçulmanos pelo volume e intensidade da sua produção literária, com representantes das três principais religiões. O século X foi um período de intenso intercâmbio cultural entre muçulmanos, judeus e cristãos. Al-Andalus atraiu os melhores e mais brilhantes académicos. Uma pessoa culta dessa época tinha também de estar familiarizada com a filosofia, a matemática e a ciência gregas, que os muçulmanos tinham preservado no Médio Oriente. Em particular, os ensinamentos do filósofo grego Aristóteles tornaram-se importantes para as três religiões.

# CAPÍTULO 1

## INÍCIO DA HISTÓRIA DO MUNDO MUÇULMANO

Para situar a invasão e o domínio muçulmano da Espanha medieval, de 711 a 1031 d.C. (fim do período omíada espanhol), é importante compreender a história inicial de todo o mundo muçulmano. O mundo muçulmano cresceu rapidamente a partir das suas origens humildes na Arábia, após a morte do Profeta Maomé em 632. Em 641, os muçulmanos controlavam a Síria, a Palestina e o Egipto e derrotaram o grande Império Persa Sassânida. Em 656, tinham conquistado Chipre e Trípoli no Norte de África e estabelecido o seu poder no Iraque, Irão, Afeganistão e Sindh. Em 750, tinham-se expandido para Espanha e para o Norte de África, a oeste, e para o rio Indo, a leste. Como seria de esperar num império tão vasto, existiam muitos grupos tribais ou dinastias muçulmanas que frequentemente competiam entre si. A dinastia omíada de Damasco, na Síria, foi o centro do império de 661 a 750. Foi durante este período que se deu a invasão e o primeiro povoamento de Espanha por muçulmanos árabes e muçulmanos berberes do Norte de África. Em 750, a dinastia abássida derrubou a dinastia omíada de Damasco, no centro do império. Os abássidas tentaram matar todos os omíadas, mas um deles conseguiu escapar e entrar furtivamente em Espanha. Este jovem, Abd al-Rahman I, transplantou a dinastia omíada para Espanha. A dinastia abássida, que fez de Bagdade a sua capital, tornou-se o centro cultural do império. O zénite do poder abássida ocorreu durante o reinado do califa Harun al-Rashid (reinou entre 786 e 809)[4]. Este califa encorajou o grande renascimento cultural de Bagdade e o intercâmbio de informações com outras cidades do império. Manteve também relações diplomáticas com o rei franco cristão Carlos Magno. Quando Carlos Magno foi ungido imperador do Império Romano do Ocidente pelo Papa Leão III, em 800, Harun al-Rashid enviou um elefante vivo como presente para o complexo palaciano de Carlos Magno[4 5].

---

[4] Chidester, David. Christianity: A Global History [Cristianismo: Uma História Global]. Nova Iorque: HarperCollins Publisher, 2000.-45 p.

6

A génese das realizações intelectuais da Idade Média assenta na familiaridade dos muçulmanos de Bagdade com as obras dos gregos antigos e na tomada de consciência, por parte dos muçulmanos, da importância desta informação. Quando os árabes conquistaram a Síria e o Iraque, entraram em contacto com cristãos de língua siríaca que conheciam o património intelectual e científico da Antiguidade grega, incluindo a astronomia, a astrologia, o cálculo do calendário, a matemática, a medicina, a biologia, a filosofia, a ética, o direito civil e outros domínios. O filósofo grego Aristóteles introduziu os conceitos de utilização da investigação empírica e das observações do mundo natural para explicar o porquê das coisas, em oposição à utilização exclusiva da religião como forma de explicar as coisas. Os muçulmanos não estavam apenas interessados em traduzir estes documentos, mas também em analisar a informação e continuar a desenvolver os conhecimentos adquiridos. Os muçulmanos do Oriente também transmitiram o que aprenderam com os indianos, os persas e os chineses[6]. Os hindus da Índia transmitiram-lhes muitos conceitos matemáticos, como o sistema numérico a que atualmente chamamos algarismos arábicos e o significado do ponto decimal. O fabrico de papel foi trazido da China para o Iraque. O califa Harun al-Rashid apercebeu-se da importância do papel como tecnologia essencial para o registo, a preservação e a transmissão de informações e introduziu a sua utilização em Bagdade. O papel não só facilitaria o intercâmbio de informações científicas, como também melhoraria a administração do governo. A utilização do papel espalhou-se rapidamente por todo o império; no entanto, a sua produção permaneceu durante algum tempo nas províncias orientais[7]. Os persas contribuíram muito, desde o seu estilo de governo até ao esmalte especial da faiança. As ideias e a tecnologia foram transmitidas gradualmente, e cada geração melhorou o que tinha sido alcançado pelas gerações anteriores. O corpus aristotélico foi traduzido para árabe,

---

[5] David Levering Lewis, God's Crucible: Islam and the Making of Europe, 570 to 1121 (Nova Iorque: Norton, 2008), 78.
[6] Glick, Islamic and Christian Spain, 7, 139, 279, 287, 299, 319, 323 e 333.
[7] Bernard Lewis, The Arabs in History (Nova Iorque: Oxford University Press Inc., 2002), 93.

sobretudo em Bagdade. Algumas traduções literais foram efectuadas na década de 770, durante os reinados dos califas abássidas al-Mansur e al-Mahdi[8]. O califa al-Ma'mun (reinou entre 813 e 833) criou a Casa da Sabedoria em 830 para continuar o desenvolvimento intelectual e traduzir documentos para árabe. No início do século XIX, foram produzidas versões mais avançadas do corpus aristotélico, especialmente por Hunayn ibn Ishaq (808-873). Ele e outros que com ele trabalharam também traduziram para árabe uma centena de tratados médicos e filosóficos de Galeno. Por volta do século X, os primeiros defensores árabes de Aristóteles, como Abu Nasr al-Farabi (c. 878-950), conseguiram aperfeiçoar o corpus de acordo com os métodos de crítica aristotélica que os muçulmanos tinham interiorizado. Em meados do século XI, a maioria dos livros importantes de Aristóteles estava disponível para os académicos de língua árabe. As ideias eram transmitidas, trocadas e desenvolvidas em todo o vasto império islâmico, da Índia a Espanha. À medida que a informação se espalhava por todo o império, foram sendo construídas grandes universidades com bibliotecas impressionantes em várias cidades. Em particular, no século X, os efeitos seriam sentidos em Córdova e noutras cidades de Espanha[9].

A Península Ibérica foi uma encruzilhada natural e foi habitada por muitos povos diferentes. A sua localização é um fator importante. Situa-se no extremo sudoeste da Europa e no extremo noroeste de África. As suas costas oriental e sudeste encontram-se no Mar Mediterrâneo e, no extremo sul, o Estreito de Gibraltar, a passagem para o Oceano Atlântico. O limite ocidental da península é o Oceano Atlântico. Alguns dos antigos habitantes desta terra chamavam-se ibéricos e pensavam-se que vinham de África. Os Celtas, indo-europeus, entraram na península atravessando os Pirinéus. Instalaram-se no norte e no oeste da península entre 900 e 600 a.C. Os celtas tinham uma civilização mais

---

[8] Glick, "Science in Medieval Spain: The Jewish Contribution in the Context of the Convivencia," in Convivencia: Jews, Muslims, and Christians in Medieval Spain, ed. Vivian B. Mann, Thomas F. Glick, e Jerrilynn D. Glick. Mann, Thomas F. Glick e Jerrilynn D. Dodds (Nova Iorque: George Braziller, 1992), 103

[9] John L. Esposito, ed., The Oxford History of Islam (Nova Iorque: Oxford University Press, 1999), 331-333.

avançada do que os ibéricos. Utilizavam armas de ferro, cavalos e bigas - ao contrário das armas de bronze dos ibéricos - o que lhes permitiu dominar a população indígena. Devido aos casamentos mistos entre estes grupos, os geógrafos e historiadores começaram a designar a península por Celtibéria. Outros grupos também estavam interessados em estabelecer-se na Península Ibérica. Os fenícios estabeleceram entrepostos comerciais ao longo da costa mediterrânica por volta de 800 a.C. Os gregos começaram a estabelecer colónias no século VII a.C. Os tartes, um povo de origem africana, também estabeleceram um poderoso reino na Península Ibérica. No século VI a.C., os cartagineses derrotaram os tártaros. Durante os séculos seguintes, Cartago estabeleceu um império comercial na Sicília e no sul de Espanha. Este facto acabou por provocar a rivalidade romana, levando a uma luta entre as duas potências. Os romanos destruíram o domínio cartaginês em Espanha por volta de 200 a.C. e continuaram a lutar contra a população indígena no extremo norte e oeste, até dominarem finalmente toda a península por volta de 14 d.C.[10].

O'Callaghan escreve que a conquista romana trouxe a América Latina para a corrente principal da civilização europeia e, pela primeira vez, a península foi unida sob um único governo. Seiscentos anos de domínio romano trouxeram aquedutos, pontes, estradas, leis e a estrutura administrativa do governo. Os romanos também difundiram o cristianismo durante o século IV. Durante os primeiros séculos d.C., o governo de Roma considerou as seitas cristãs como "superstições", o que significa que eram consideradas politicamente subversivas. As seitas cristãs competiam com várias seitas judaicas e religiões pagãs para serem reconhecidas como legítimas. No século IV, ocorreram mudanças radicais após a suposta conversão do imperador romano Constantino ao cristianismo. Com o Édito de Milão, em 313, equiparou o cristianismo a outras seitas religiosas concorrentes. Constantino desejava a unidade política entre as partes oriental e ocidental do Império Romano e via o Cristianismo como um meio para o conseguir. Constantino convocou o Concílio de Niceia, em 325, para

---

[10] O'Callaghan, A History of Medieval Spain, 27.

tentar chegar a um consenso sobre a natureza de Deus, tal como era entendida pelo cristianismo, e sobre a relação entre o Pai e o Filho. Em última análise, foi a divindade de Cristo e o conceito da Trindade que foram aceites no Concílio e que, subsequentemente, definiram o cristianismo "normativo". Foi formulado o Credo Niceno original, que descrevia a relação entre o Pai e o Filho como sendo criados pela mesma substância ou um só ser. A doutrina cristã ariana, que consiste na crença num Deus único que não reconhece a pessoa de Jesus como um só com o Pai, foi condenada. Outro resultado do Concílio de Niceia foi o início de medidas legislativas que afectaram negativamente os judeus. O imperador Teodósio I deu seguimento ao seu édito de 380, que tornou o cristianismo a única forma de religião oficialmente reconhecida no Império Romano. Aqueles que seguiam outras religiões eram considerados hereges e estavam sujeitos a acções imperiais negativas[11].

O povoamento judaico na Península Ibérica era antigo. A migração judaica aumentou durante o Império Romano, entre cerca de 200 a.C. e 200 d.C., em todo o Mediterrâneo, com muitos a estabelecerem-se em Espanha, pelo menos, no século II d.C. Alguns judeus eram comerciantes e negociantes de sucesso e tinham boas relações em todo o Mediterrâneo. No seu apogeu, sob a direção dos imperadores Trajano (reinou entre 98 e 117) e Adriano (reinou entre 117 e 138), o Império Romano manteve uma rede de comunicações através de um sistema de estradas que facilitava a troca de comércio e de informações entre os judeus, que se encontravam muito dispersos. Nos primeiros tempos do Império Romano, os governantes aperceberam-se de que os judeus constituíam uma importante força económica e cultural em todo o império. Os judeus eram frequentemente tratados como um povo autónomo e autónomo e viviam em comunidades organizadas. No século III, a Espanha era uma das províncias mais ricas do Império e os judeus contribuíram para esse sucesso. No entanto, já existiam sentimentos contraditórios em relação aos judeus. Mesmo antes da

---

[11] Mircea Eliade, ed., The Encyclopedia of Religion, s.v. "Theodosius" (Nova Iorque: Macmillan Publishing Company, 1987).147

conversão oficial do Império Romano ao cristianismo, os líderes da Igreja receavam que alguns gentios estivessem mais interessados em converter-se ao judaísmo do que ao cristianismo. No Concílio de Elvira, em 306, foi aprovada legislação eclesiástica espanhola para tentar limitar determinadas interacções sociais entre judeus e cristãos. Os padrões comerciais foram perturbados quando o Império Romano começou a declinar no século V e as condições tornaram-se cada vez mais caóticas e sem lei. Os habitantes de Espanha tornaram-se menos abastados à medida que a economia global do Império entrava em declínio. A tendência foi para a agrarização, com o declínio das cidades e da produção industrial.

Os visigodos germânicos atravessaram os Pirenéus no início do século V d.C., mas demoraram vários séculos a estender o seu domínio à península. Eram cerca de 200.000 visigodos cristãos arianos que tentaram dominar milhões de cristãos trinitários de língua latina. Como cristãos arianos, os visigodos não tinham qualquer conflito religioso com a crença dos judeus num Deus único, como tinham os cristãos trinitários. Os visigodos também se aperceberam de que os judeus eram uma parte importante da sociedade e da economia. No início, os godos pediram aos judeus que os ajudassem a negociar com a maioria dos nativos. Os godos acabaram por reconhecer a superioridade da civilização romana sobre a sua própria civilização e, com o tempo, adoptaram a língua latina e grande parte do sistema jurídico romano. A competição pelo poder na Espanha visigótica era grande. A monarquia era uma instituição fraca. Havia conflitos e facções entre a nobreza visigótica. Todas as sucessões de um rei para outro eram marcadas pela violência[12]. No Terceiro Concílio de Toledo, em 589, declarou que o cristianismo trinitário era a religião oficial do reino e que o rei era responsável pelos assuntos temporais e espirituais. O rei Reckared ajudou os judeus quando era do seu interesse político fazê-lo. O rei Sisebut (reinou entre 612 e 621) foi o primeiro a adotar leis anti-judaicas severas. Decretou que os

---

[12] Bernard S. Bachrach, "A Reassessment of Visigothic Jewish Policy, 589-711," The American Historical Review 78, no. 1. (fevereiro de 1973): 22.

judeus deviam converter-se ou abandonar o país. Os reis visigóticos seguintes também adoptaram uma forte política anti-judaica: Sisenand (reinou de 631 a 636), Cintila (reinou de 636 a 640), Cindasuit (reinou de 642 a 653), Resessuint (reinou de 649 a 672), Ervig (reinou de 649 a 672), Aegic (reinou de 687 a 702) e Roderick (reinou de 710 a 711) tinham políticas que variavam de um leve desdém pelos judeus a um apoio aos judeus. Há também dúvidas sobre a existência de uma aplicação uniforme em todo o reino. As áreas locais e regionais tinham algum grau de autonomia. No entanto, as leis aprovadas nos vários concílios de Toledo, com a aprovação dos reis, tornaram-se a lei do país e parte do direito canónico oficial da Igreja Católica. Jane Gerber escreve que estas leis "serviram de precedentes legais noutras partes da Europa, embora fossem especificamente adaptadas às condições locais..."[13]. Os judeus eram um grupo claramente identificável devido à sua tendência para isolar a comunidade e ao facto de as suas práticas religiosas serem muito diferentes das práticas cristãs. Isto tornava fácil para os outros membros da população culpar os judeus sempre que surgiam problemas. Havia sempre elementos da população que aderiam de bom grado às políticas anti-judaicas. Alguns reis e clérigos utilizaram este facto em seu proveito. Gerber escreve que a atividade antijudaica se intensificou no final do século VII, depois de uma série de catástrofes naturais terem causado estragos na agricultura e na economia de Espanha. As más colheitas, as infestações de insectos e a escassez de alimentos reduziram a população durante o reinado do rei Erwig (reinou entre 680 e 687), acabando por deixar o país em ruínas. No final do século VII, os visigodos representavam ainda uma pequena percentagem da população total. Havia cerca de 400.000 visigodos entre pelo menos cinco milhões de hispano-romanos, judeus, gregos, galegos, bascos e celtas. O rei Aegica dos visigodos (reinou entre 687 e 702) acusou os judeus de colaborarem com os estrangeiros na tentativa de derrubar os visigodos. No entanto, foram os herdeiros do rei visigodo Vitica (reinou entre 702 e 710), descontentes com o controlo do rei visigodo Roderick no sul, que

---

[13] Gerber, 11.

colaboraram com os bizantinos para permitir que um pequeno grupo de muçulmanos entrasse em Espanha através do posto costeiro de Ceuta, em 711. Este foi o início da invasão muçulmana[14].

---

[14] David Levering Lewis, God's Crucible: Islam and the Making of Europe, 570 to 1121 (Nova Iorque: Norton, 2008), 111.

CAPÍTULO 2

## INVASÃO MUÇULMANA DE ESPANHA E DOMÍNIO NOS PRIMEIROS ANOS 711-755

A invasão e conquista muçulmana, iniciada em 711, trouxe mudanças radicais à Península Ibérica. Foi criado um novo tipo de sociedade. A luta entre a nobreza visigótica e o clero eclesiástico era grande e o país estava em declínio económico. Além disso, os reis visigodos e o clero eram particularmente cruéis para com os judeus e os camponeses cristãos, especialmente durante as últimas décadas. A conquista muçulmana, iniciada em 711, foi benéfica para os muçulmanos, que incorporaram nas suas forças civis alguns dos habitantes desfavorecidos do reino, como os judeus e os camponeses[15]. Os judeus e os camponeses mantinham o controlo político após as vitórias militares em cada cidade, enquanto os muçulmanos avançavam para a batalha seguinte e para a cidade seguinte. Os judeus não tinham defensores externos poderosos, pelo que era vantajoso para eles adaptarem-se o mais possível. Foram recompensados por esse facto e os muçulmanos favoreceram-nos em relação aos cristãos. Além disso, a população geral de Espanha estava excluída da elite mais elevada que podia participar nas forças armadas.

Um dos comandantes de Tariq capturou Córdova sem grande resistência. Quando Tariq e os seus berberes entraram na cidade de Toledo, estruturalmente fortificada no topo da colina, esta estava quase deserta, restando apenas as classes mais baixas de cidadãos. Para não ser ultrapassado pelo seu comandante Tariq, o próprio governador Musa ibn Nusair liderou a sua própria invasão em junho de 712. Musa trouxe o seu filho Abd al-Aziz como vice-comandante, juntamente com outros comandantes proeminentes. As tropas eram constituídas por cerca de 18.000 árabes muçulmanos, na sua maioria da tribo iemenita dos calbitas. Marcharam primeiro para Sevilha, onde enfrentaram três meses de resistência antes de tomarem a cidade. Após a queda da cidade, no inverno de 712-713, Musa ibn Nusair deixou os judeus encarregues de Sevilha. As forças

---

[15] D. Lewis, God's Crucible, 126, 128 e 129.

14

de Musa dirigiram-se então para Mérida, onde encontraram grande resistência. Mérida era de especial importância para o clero eclesiástico e para a nobreza visigótica. As forças de Abd al-Aziz reuniram-se com as tropas de Musa para conquistar finalmente Mérida em julho de 713. Musa encoraja os cristãos de Mérida a abandonar a cidade em paz, se assim o desejarem. Organiza um governo da cidade, confiando a administração aos habitantes do antigo bairro judeu. Abd al-Aziz prossegue a sua ofensiva e acrescenta às suas conquistas, em 714, as cidades de Coimbra e Santarém. Estas cidades situam-se no atual Portugal.

Entre 711 e 714, os muçulmanos conquistaram a maior parte da metade sul da Península Ibérica. No entanto, Musa ibn Nusair e Tariq ibn Ziyad aperceberam-se de que se estavam a formar grupos de resistência para além da parte norte do rio Douro e do vale do Ebro. Musa ordenou aos seus homens que prosseguissem a ofensiva, contrariando temporariamente a ordem do califa de Damasco, al-Walid, para que Musa e Tariq se apresentassem em Damasco. Musa e Tariq conquistaram Saragoça, no vale do Ebro. Tariq prosseguiu para as províncias de Leão e Castela, capturando as cidades de Leão e Astorga, no extremo noroeste. Seguindo o rio Ebro até às Astúrias, as forças de Musa tomaram a cidade de Oviedo e, no verão de 714, avançaram até ao Golfo da Biscaia. No entanto, mais tarde, os muçulmanos não conseguiram manter estes postos avançados a norte. Musa ibn Nusair e Tariq ibn Ziyad regressaram a Damasco em 714 com muitos tesouros para os mostrarem ao califa superior al-Walid. Pouco tempo depois, al-Walid morreu e o novo governante, Suleiman, isolou Musa e Tariq por várias razões políticas. Pensa-se também que Suleiman matou o filho de Musa, Abd al-Aziz, em 716, em Sevilha. Nessa altura, os califas damascenos estavam mais interessados em acabar com a capital bizantina de Constantinopla e não queriam ser distraídos pelo al-Andalus. No entanto, a tentativa de penetrar em Constantinopla falhou e o sucessor de Solimão, Umar II (reinou entre 717 e 720), ordenou o regresso das tropas a casa.

Após esta derrota, os califas reconsideraram a importância estratégica da utilização de al-Andalus como ponto de entrada para o norte. O califa Hisham I (reinou entre 724 e 743) autorizou os governadores de Al-Andalus a continuarem a avançar para o atual sul de França. Em 732, os guerreiros muçulmanos foram derrotados na batalha de Poitiers. Sob as ordens do califa Hisham I, outras incursões no sul de França prosseguiram até 739. No entanto, a agitação berbere em Saragoça, em 739, desviou a atenção do governador al-Andalusi para os assuntos internos.

Durante os primeiros quarenta e tal anos após a invasão e o povoamento, as várias facções políticas muçulmanas tiveram de aprender a governar o território espanhol. Em 716, Córdova tornou-se a sede do governo muçulmano. Houve uma rápida sucessão de emires nomeados pelos governadores do Norte de África e pelos califas de Damasco. Nenhum destes nomeados era particularmente talentoso e a maior parte deles não permaneceu no cargo durante muito tempo. Assim, não existia um governo central forte. Alguns governadores também alimentavam as rivalidades tribais. Os árabes muçulmanos consideravam-se racialmente superiores aos berberes e atribuíam a si próprios as melhores terras. Os berberes só recentemente se tinham convertido ao Islão[16].

Mas o facto é que os berberes foram necessários para a conquista de Espanha e continuam a ser necessários para proteger a região. Os muçulmanos berberes eram também mais numerosos do que os árabes muçulmanos. Os berberes de Marrocos e de Al-Andalus revoltaram-se no início da década de 740. Dois factores que contribuíram para as revoltas foram os impostos elevados e o ressentimento étnico. No Norte de África, outro fator foi a adoção, pelos berberes, de uma forma fundamentalista de islamismo denominada kharijismo. A doutrina kharijita afirma, entre outras coisas, que todos os muçulmanos são iguais. Os berberes queriam a sua quota-parte dos despojos de guerra e os muçulmanos não árabes ficavam sempre com o melhor. Os berberes

---

[16] Armstrong, Karen. Islam: A Short History [Islão: Uma Breve História]. Nova Iorque: Random House, 2000. Ashtor, Eliyahu. The Jews of Moslem Spain [Os Judeus da Espanha Muçulmana]. Vol. 1. Filadélfia: Sociedade Judaica de Publicações da América, 1973. -165 p.

marroquinos derrotaram um exército de cerca de 30.000 sírios enviado contra eles pelo califa de Damasco. Cerca de 7000 sírios refugiaram-se em Ceuta e pediram asilo ao governador de al-Andalus[17]. Com relutância, o governador deixou-os entrar em al-Andalus em 741, pensando que os poderia utilizar contra os berberes que se rebelaram contra os árabes muçulmanos em al-Andalus. Embora os sírios tenham ajudado a reprimir a rebelião berbere, recusaram-se a abandonar Espanha depois de cumprida a tarefa e acabaram por derrubar o governador. A infusão de muçulmanos sírios em Al-Andalus aumentou as tensões entre as facções muçulmanas. O grupo tribal sírio Kai era um inimigo natural dos iemenitas que acompanharam Musa ibn Nusair a Al-Andalus. Os iemenitas, chamados Baladiyun, tinham um carácter tribal caraterístico da Arábia do Sul e do Iémen. A ordem foi restabelecida em 742, quando o califa de Damasco enviou um novo governador que atribuiu terras aos sírios para colonização, sob condição de recrutamento militar. O plano consistia em dispersar geograficamente os sírios por todo o al-Andalus. Este facto, embora tenha impedido que os sírios tomassem a capital, Córdova, provocou um aumento do sectarismo no Estado andaluz. Esta desorganização e caos generalizados permitiram a tomada do poder pelo grupo tribal omíada em 756.

---

[17] Baer, Yizthak. A History of the Jews in Christian Spain [Uma História dos Judeus na Espanha Cristã]. Filadélfia: The Jewish Publication Society of America, 1978. -478 p.

# CAPÍTULO 3

# A MIGRAÇÃO DA DINASTIA OMÍADA DE DAMASCO PARA AL-ANDALUS

Em 743, o califa omíada Hisham I, há muito no poder, morreu de velhice. Desde 724 que detinha o centro do vasto império islâmico. Seguiu-se-lhe uma sucessão de governantes fracos. O domínio omíada em Damasco, na Síria, estava a chegar ao fim. Desde 661 que governavam o mundo muçulmano. Em 750, deu-se uma revolução dinástica em Damasco, quando os abássidas derrotaram os omíadas.

Os abássidas, que praticavam uma forma mais conservadora do Islão, transferiram o seu califado para Bagdade e foram fortemente influenciados pela cultura persa, mais avançada. Os abássidas tentaram matar todos os membros da família omíada no poder, mas um deles conseguiu escapar. Abd al-Rahman I, neto do califa Hisham, sobreviveu, dirigindo-se primeiro para o Norte de África e depois para Espanha. Os calbitas (iemenitas) viram-no como seu protetor e tornaram-se o seu exército. Até alguns dos Kayyah o apoiaram. Abd al-Rahman dirigiu-se para Córdova e, em 756, derrotou o seu governante Yusuf al-Fihri. Abd al-Rahman fez de al-Andalus um reino independente e o novo lar da dinastia Umayyad exilada[18]. A forma como os muçulmanos, em especial os omíadas, tratavam os judeus e os cristãos Os muçulmanos tinham uma atitude mista em relação aos judeus e aos cristãos. Naturalmente, consideravam a sua própria religião superior. No entanto, o Alcorão considera os judeus e os cristãos como correligionários do Livro (Ahm al-Kitab). Tal como os muçulmanos, acreditava-se que os judeus e os cristãos tinham recebido a revelação divina e que esta estava contida nos seus escritos sagrados, a Bíblia hebraica (especialmente a Tora) e o Novo Testamento (especialmente os Evangelhos). Além disso, o Alcorão continha algumas histórias sobre os profetas judeus e cristãos, nomeadamente histórias sobre Abraão, Moisés e a pessoa de Jesus. Mas os muçulmanos acreditavam que tinham recebido a revelação final e correcta.

---

[18] Eliade, Mircea, ed. The Encyclopedia of Religion, s.v. Theodosius. Nova Iorque: Macmillan Publishing Company, 1987. -79 p.

No entanto, os muçulmanos não obrigavam nenhum dos grupos a abandonar a sua religião, desde que os seus adeptos se submetessem à autoridade política muçulmana. Os judeus e os cristãos eram autorizados a pagar impostos para fazerem parte do povo protegido (zimmi). No entanto, eram considerados cidadãos de segunda classe e eram-lhes impostas muitas restrições. Coletivamente, as restrições impostas aos zimmi eram conhecidas como o Pacto de Umar, mas estas regras não eram aplicadas de forma igual em todos os locais e em todos os momentos. Bernard Lewis escreve que, embora estes regulamentos tenham sido atribuídos a Umar I (reinou entre 634 e 644), pensa-se que a maior parte das medidas foram introduzidas ou aplicadas pelo califa omíada Umar II (reinou entre 717 e 720) de Damasco[19]. Os cristãos que adoptaram os costumes e as línguas muçulmanas eram designados por mosarabs. Os que se convertiam ao Islão eram chamados Musalimun. Os seus filhos nascidos na fé eram designados por Muwalladun. Não estavam sujeitos a tributo. No entanto, os árabes desprezavam os muwalladun e estavam no patamar mais baixo da sociedade muçulmana espanhola. Os muçulmanos de ascendência tinham uma vantagem. No início, os muçulmanos desencorajavam geralmente a conversão, porque dependiam dos impostos de tributo para financiar o seu governo. No entanto, no século X, muitos cristãos converteram-se de livre vontade e tornaram-se mais assimilados à cultura muçulmana.

Limites gerais do Al-Andalus De cerca de 750 a 1031, o Al-Andalus ocupou cerca de 80% da Península Ibérica (actuais Espanha e Portugal). A linha divisória a norte entre o território muçulmano e o cristão é o rio Douro e o vale do rio Ebro. No entanto, em diferentes alturas, a linha divisória a norte era bastante fluida, com muçulmanos e cristãos a fazerem incursões militares no território uns dos outros. A norte do rio Douro e a oeste e leste de partes do rio Ebro, existiam ainda reinos cristãos: Astúrias, Leão, Castela, Navarra, Aragão e Catalunha. Durante os séculos VII a IX, as alianças mudaram frequentemente.

---

[19] Esposito, John L., ed. The Oxford History of Islam [A História do Islão de Oxford]. Nova Iorque: Oxford University Press, 1999. -569 p.

Muitas vezes, uma fação muçulmana associava-se a um governante cristão para derrotar outra fação muçulmana. Para além disso, os diferentes reinos cristãos não estavam unidos e também havia conflitos entre eles.

Para compreender o mundo que Abd al-Rahman III acabou por herdar em 912, é importante analisar a forma como os seus antecessores reagiram aos acontecimentos à sua volta e as suas características enquanto líderes que ajudaram a moldar a sociedade e o homem em que ele se viria a tornar. Abd al-Rahman I, também conhecido como o Falcão dos Qurayshitas, governou de 756 a 788. Sendo neto do califa Hisham de Damasco, estava a preparar-se para se tornar califa. Uma nota interessante sobre a sua aparência é o facto de ter cabelo ruivo, herdado da sua mãe, que era uma escrava berbere cristã. Abd al-Rahman I estabeleceu um reino independente em al-Andalus, com Córdova como capital. Apesar da enorme oposição de outras facções muçulmanas e cristãs, conseguiu estabelecer um governo organizado. A sua visão era a de unir uma comunidade constituída por várias facções muçulmanas com a população dhimmi cristã e judaica. Tratava-se também de uma decisão pragmática, uma vez que os muçulmanos eram minoritários em relação à população autóctone. Conseguiu uma certa coexistência entre os grupos. O seu apoio aos judeus deveu-se ao facto de estes terem sido de grande ajuda durante a consolidação do domínio omíada. Os judeus tinham experiência na gestão das suas comunidades e na organização de transacções comerciais internacionais, como o demonstra a sua experiência durante o Império Romano e a época visigótica. Tinham experiência na negociação entre grupos de pessoas e não eram normalmente vistos como uma ameaça política. Ensinavam aos muçulmanos como gerir o seu império. A relativa paz interna desses anos permitiu o desenvolvimento da agricultura e do comércio, aumentando assim as receitas do Estado. Abd al-Rahman I introduziu uma nova forma de agricultura baseada na irrigação. Os muçulmanos introduziram sistemas hidráulicos sírios de rodas de água, denominados noria, para irrigação, que viriam a ser melhorados com o tempo. Os muçulmanos melhoraram os canais, aquedutos e condutas subterrâneas, conhecidos como cordas, construídos pelos romanos. Uma vez que a água era muito importante para a agricultura, os muçulmanos introduziram muitos melhoramentos gerais no abastecimento de água e na definição dos direitos de utilização da água[20].

Abd al-Rahman era também conhecido por ter introduzido flora e fauna da sua terra natal, a Síria, e de outros locais. Iniciou a construção de uma grande mesquita em Córdova, influenciada pela arquitetura visigótica, bizantina e muçulmana oriental. Os tectos foram construídos com seis metros de altura. Eram suportados por colunas e capitéis romanos encimados por arcos semi-circulares em forma de ferradura de dois níveis. Os arcos em ferradura já tinham sido utilizados noutros locais; no entanto, os arquitectos da mesquita criaram um design único e utilizaram-nos em Córdova. Os arcos em ferradura de dois níveis eram feitos de faixas alternadas de tijolo vermelho e pedra branca, que ainda hoje são esteticamente agradáveis. Abd al-Rahman I lançou as bases da grandeza de Córdova, que Abd al-Rahman III e al-Hakam II elevaram a novos patamares no século X. Os governantes omíadas de al-Andalus não desafiaram pública ou diretamente a autoridade dos califas abássidas de Bagdade durante os primeiros 200 anos do seu governo. Continuaram a recordar os califas abássidas nas orações públicas como os verdadeiros descendentes do Profeta Maomé. Nessa altura, acreditava-se no mundo muçulmano que o Profeta Maomé só poderia ter um sucessor legítimo. Este seria chamado o Senhor dos Fiéis e governaria todo o mundo islâmico. Em 909, os muçulmanos fatímidas do Norte de África proclamaram a sua dinastia como o único verdadeiro califado e Ubaidullah, que tomou o nome de al-Mahdi (reinou entre 909 e 934), intitulou-se o verdadeiro califa. Em 929, Abd al-Rahman III declarar-se-ia o único verdadeiro califa. É evidente que havia tensões entre as dinastias muçulmanas. Durante os séculos seguintes do domínio omíada, o trono passou de pai para filho e vários emires governaram durante longos períodos. Hisham I (reinou entre 788 e 796) sucedeu ao seu pai, Abd al-Rahman I. Gozou de um governo interno relativamente pacífico e era conhecido pela sua erudição, piedade e

---

[20] Fletcher, Richard. Moorish Spain. Nova Iorque: Henry Holt and Company, 1992.-16 p.

caridade. Convidou juristas da escola islâmica malikita, que ofereciam uma interpretação rigorosa do Alcorão e das leis, hostil à inovação e à especulação racional. Com o tempo, os malikitas passaram a dominar o pensamento jurídico e teológico do reino e gozavam de grande influência nos assuntos públicos[21]. (Esta abordagem do Islão era mais conservadora e rígida do que a seguida mais tarde por Abd al-Rahman II e III). Enviou também expedições militares anuais para atacar os reinos cristãos das Astúrias e Navarra, no norte de Espanha.

Hakam I, filho de Hisham I, governou de 796 a 822. Enfrentou numerosas conspirações e rebeliões e reagiu de forma muito brutal e tirânica ao tentar restabelecer a ordem. Inicialmente, os seus próprios tios desafiaram a sua autoridade; um deles chegou mesmo a pedir ajuda ao cristão Carlos Magno. Hakam I usou de força brutal em Toledo contra os muçulmanos, judeus e muwalladuns que se rebelaram contra os elevados impostos que lhes eram impostos. Em Córdova, os juristas malikitas, que tinham sido favorecidos durante o reinado do seu pai, foram severamente restringidos. Em 805, planearam uma conspiração, mas Hakam soube-a e crucificou o seu líder. Foram colocados grandes guardas sob o comando de um conde cristão, encarregado da cobrança de impostos. Em 818, os cidadãos de Córdova, especialmente Muwalladun, revoltaram-se contra a pesada carga fiscal e os maus tratos infligidos pelos guarda-costas reais. Hakam esmagou a revolta com grande barbaridade. Mar Mediterrâneo. Este facto alimentou um grande movimento comercial em todas as partes do mundo islâmico. A classe comercial e industrial dos muçulmanos, judeus e mercadores cristãos facilitou este comércio. Os comerciantes, que também se interessavam pelos estudos, utilizavam as redes comerciais para promover tanto o comércio como os estudos. Este facto conduziu a uma civilização mais urbanizada. Este movimento comercial trouxe grande riqueza a Al-Andalus, especialmente nas zonas urbanas. Abd al-Rahman II, filho de Hakam I, foi um governante capaz de enfrentar os novos desafios

---

[21]Gerli, E. Michael, ed. Medieval Iberia: An Encyclopedia, s.vv. Abd al-Rahman III, califa de Córdova e
Hasdai Ibn Shaprut. Nova Iorque: Routledge, 2003. 49

deste período de transição. Governou de 822 a 852. Abd al-Rahman II reorganizou o governo para responder às necessidades de uma sociedade mais rica e mais complexa. Passou de um governo de guarnição descentralizado para um governo mais centralizado. Concentrou o poder na pessoa do emir, governando através de uma burocracia hierárquica rigorosamente controlada, com controlo político e económico centralizado. A tesouraria era o departamento mais importante.

Abd al-Rahman II inspirou-se neste conceito hierárquico de governo, que os muçulmanos omíadas da Síria tinham aprendido com os persas, para governar o seu reino. Com pequenas alterações, o seu estilo de governo durou até ao fim do califado omíada espanhol. Grande parte do seu reinado foi um período de relativa paz interna. Abd al-Rahman II era culto, piedoso e rapidamente ganhou fama como patrono de académicos, poetas e músicos. Com os sucessos abássidas em Bagdade na astronomia, medicina e outros campos a espalharem-se por todo o mundo muçulmano, o interesse pela ciência e pelos estudos também aumentou em al-Andalus. Para além disso, as modas e os costumes abássidas e persas tornaram-se populares. A corte de Abd al-Rahman II tornou-se o centro cultural do Islão ocidental. Desenvolveram-se também importantes técnicas artesanais. Os arqueólogos encontraram provas de que, entre 825 e 925, foi desenvolvido um tear horizontal e os habitantes de Al-Andalus começaram a utilizar o fio de seda. Desenvolveu-se uma indústria de tecelagem florescente. Desenvolveram a capacidade de produzir cerâmica vidrada e cerâmicas de diferentes cores que eram importadas do Oriente. Esta cerâmica era diferente da que já era utilizada em Espanha. Mais ou menos na mesma altura que a cerâmica, apareceram os tecidos multicoloridos. Os andaluzes também utilizaram uma tecnologia avançada na produção de vidro. Neste período, foram também construídas fortificações militares bem estruturadas. Abd al-Rahman II enviou expedições militares para as zonas cristãs das Astúrias, Barcelona e da Marca de Espanha. Durante o seu reinado, os escandinavos tentaram atacar Sevilha e Cádis, em 844-845, subindo o rio Guadalquivir. Abd al-Rahman II enviou um exército para os expulsar. Para se defender de futuros ataques, Abd al-Rahman III criou uma marinha. Construiu estaleiros navais e enviou uma frota para vigiar os acessos fluviais a Sevilha. De 848 a 849, a frota foi também utilizada para restaurar o domínio omíada sobre as Ilhas Baleares. No entanto, as ambições de Abd al-Rahman II não se estendiam para além do Mediterrâneo ocidental. O imperador bizantino Teófilo (reinou entre 829 e 842) procurou uma aliança em 839 contra os abássidas de Bagdade. O'Callaghan escreve que o emir se recusou a aderir à aliança, dizendo que esperava que Alá acabasse por devolver aos omíadas a sua legítima posição de governantes do mundo muçulmano[22].

Perto do fim do seu reinado, os muçulmanos de Córdova revoltaram-se. Alguns muçulmanos procuraram deliberadamente a morte, na esperança de receberem a coroa do martírio cristão, denunciando abertamente o Profeta Maomé e a religião islâmica. A blasfémia contra o Profeta era considerada uma ofensa grave e punível com a morte. O'Callaghan escreve que dois membros proeminentes da comunidade cristã, Eulogius, um sacerdote, e Paulus Alvarus, um leigo erudito, documentaram a natureza da resistência e afirmaram que os cristãos eram perseguidos. Em 850, um homem chamado Priestus Perfectus denunciou publicamente o Profeta Maomé "como um agente do demónio, um adúltero e um mentiroso". Os muçulmanos são muito sensíveis a qualquer depreciação do Profeta Maomé. O padre Perfectus foi executado por caluniar o Profeta e tornou-se o primeiro mártir cristão espanhol. Outros cristãos seguiram-lhe o exemplo. Alguns cristãos consideraram a morte de Abd al-Rahman II, em 852, como uma retribuição divina pela sua perseguição aos cristãos. O seu filho e sucessor Maomé I (reinou entre 852 e 886) instituiu medidas rigorosas para suprimir a rebelião em curso. Maomé I mandou executar Eulogius. No entanto, a hostilidade de Muwalladun continuou e constituiu um grave problema também noutras cidades. Em 878, Maomé I enviou uma grande expedição militar às

---

[22] Gilbert, Martin. Israel: A History [Israel: Uma História]. Nova York: William Morrow and Company, 1998.-435 p.

Astúrias. O governante cristão Afonso III obteve uma grande vitória contra ele. Diz-se que Maomé I pediu tréguas, e esta foi uma das primeiras vezes que o emir fez tal pedido. Este facto encorajou os cristãos e Afonso III continuou as suas incursões no Al-Andalus. No entanto, a ameaça mais perigosa para o regime omíada vinha da parte mais a sul de al-Andalus, da fortaleza de Bobastro, na zona atualmente designada por Málaga. Umar ibn Hafsun, um Muwalladun, descendente de um conde gótico, travou uma guerra de guerrilha contra o governo e esteve perto de o destruir. Após a morte de Maomé I, o seu filho al-Munzir (reinou em 886-888) tentou derrotar Ibn Hafsun sem sucesso. O governante seguinte foi Abdallah (reinou em 888-912), irmão de al-Munzir. Acredita-se que Abdallah matou o seu irmão. Acabou por derrotar Ibn Hafsun em 904, mas a rebelião ainda não tinha sido completamente suprimida. Vários reinos cristãos estavam a começar a representar uma ameaça maior. A situação caótica permitiu que os cristãos conquistassem várias fortalezas. Wilfred, conde de Barcelona (reinou entre 837 e 898), alargou as suas possessões a vários condados catalães, tornando-se suficientemente forte para desafiar os muçulmanos. Mais a oeste, surgiu uma nova dinastia cristã no reino de Navarra. Sancho I Garces (reinou entre 905 e 926), fundador da dinastia Jimena, que tinha governado Pamplona durante séculos, chegou ao poder com a ajuda de Afonso III. Abdallah morreu em 912. No entanto, os cristãos não conseguiram organizar-se suficientemente bem para desafiar os omíadas. Surgiu assim um vazio de poder. Foi um daqueles momentos cruciais da história em que não se sabia ao certo qual o grupo que iria pôr ordem na região. Foi o neto de Abdallah, Abd al-Rahman III, que reorganizou a dinastia omíada e a levou ao auge de um reino poderoso[23].

Hasdai viveu entre 915 e 970. Foi vizir ou ministro de Estado de Abd al-Rahman III (início dos anos 940-961) e al-Hakam II (961-970). Não foi o primeiro judeu medieval a figurar de forma proeminente na vida pública do

---

[23] Lewis, Bernard. The Arabs in History. 6ª ed. rev., 1993. Reimpressão, Nova Iorque: Oxford University Press Inc., 2002. -94 p.

mundo muçulmano. Várias figuras judaicas apareceram na vida pública dos abássidas iraquianos por volta da mesma altura. No entanto, Hasdai é o primeiro judeu da corte sobre o qual muito se sabe e "cujo papel foi tão central no lançamento de um movimento cultural que [ele] ajudou a criar uma nova era". O seu nome árabe era Abu Yousef Hasdai ibn Shaprut. Quando se tornou famoso, passou a ser chamado Abu Yousef. Hasdai nasceu em Ha'en, numa família abastada. O seu pai, Rabbi Isaac b. Ezra ibn Shaprut transferiu a família para Córdova e deu ao filho uma educação completa (medicina, línguas e estudos religiosos). Hasdai estudou traduções árabes de textos médicos gregos e outras obras. O rabino Isaac era conhecido pela sua piedade e devoção à fé judaica. Fundou uma sinagoga em Córdova. Foi o benfeitor de muitos académicos e escritores judeus que dedicaram as suas vidas ao estudo da Torá e à literatura. Hasdai seguiu o exemplo do pai no cuidado com a comunidade judaica e no avanço da ciência[24].

Médico, tradutor, diplomata e vizir, o califa Abd al-Rahman III teve conhecimento de Hasdai, o médico, quando este prestou serviços médicos ao califa e à sua família no início da década de 940. Hasdai era conhecido pelas suas descobertas de antídotos para venenos. O califa notou a sua inteligência e a sua capacidade de se relacionar com as pessoas. O califa encarregou-o da alfândega sem lhe dar o título de ministro, para não incomodar os seus eleitores muçulmanos. Acontece que Hasdai e Abd al-Rahman III tinham um desejo comum: cada um queria que a sua comunidade fosse intelectual e religiosamente independente do respetivo centro oriental. Cada um queria fazer de Al-Andalus, como lhe chamam os muçulmanos, e de Sefarad, como lhe chamam os judeus, o centro da autoridade religiosa.

Hasdai tornou-se um extraordinário funcionário do governo, que contava com a confiança do califa como conselheiro, um estadista que negociava em nome do califa com o mundo exterior e um líder das comunidades judaicas com

---

[24] Glick, Thomas F. Convivencia: An Introductory Note. Em Convivencia: Jews, Muslims, and Christians in Medieval Spain, editado por Vivian Mann, Thomas F. Glick e Jerrilyn Dodds, 1-9. Nova Iorque: George Braziller, 1992. 47

autoridade em questões legais. Hasdai conhecia a maior parte das principais línguas do Mediterrâneo ocidental (hebraico, árabe, latim e românico). O seu conhecimento de línguas foi-lhe útil como funcionário aduaneiro responsável pela tributação dos navios mercantes que entravam e saíam dos portos espanhóis.3 A Espanha medieval estava ativa no comércio mediterrânico e era frequentemente destino de bens de luxo. O seu conhecimento de línguas foi-lhe útil nas suas funções de estadista. Comunicou com delegações do Império Bizantino e de Itália, bem como com a comunidade judaica da Crimeia, conhecida como os khazares. Uma vez que as alianças ocasionais entre governantes muçulmanos e potências cristãs podiam irritar as sensibilidades e provocar a hostilidade do establishment religioso islâmico, era comum utilizar cautelosamente judeus ou cristãos como diplomatas. O arcebispo cristão Recamund de Elvira e o judeu Hasdai serviram frequentemente como diplomatas em nome do califa.

No final da década de 940, os interesses do imperador cristão de Bizâncio, Constantino VII (reinou entre 913 e 959), começaram a coincidir com os do califa. Ambos os governantes tinham um interesse especial pelas artes e pelas ciências e não eram afectados pelas proibições teológicas tradicionais que dividiam o mundo cristão e o dar al-Islam. Norte de África. O Império Bizantino foi atacado pelos Abássidas. Da mesma forma, o objetivo do califa omíada era ser completamente independente da liderança abássida. Para iniciar estas delicadas negociações com o califa Constantino VII, era necessário um homem com os conhecimentos linguísticos e diplomáticos adequados. Hasdai foi escolhido para esta tarefa. Normalmente, as delegações diplomáticas reuniam-se com grande cerimónia e trocavam presentes valiosos. O imperador Constantino VII presenteou o califa com um raro manuscrito grego do século I de Dioscórides, De Materia Medica, considerado o livro clássico de farmacologia. O imperador também enviou a Córdova um monge chamado Nicolau, que sabia grego e latim, para ajudar a traduzir o manuscrito. Nicolau e Hasdai fizeram parte da equipa que primeiro traduziu o documento do grego para o latim e depois do latim para o árabe. Isto ajudou Al-Andalus a começar a funcionar como um centro de investigação independente de Bagdade. A reputação de Hasdai cresceu graças a este facto..... "[não] apenas porque demonstrou capacidade linguística, mas porque as suas realizações contribuíram para a autonomia espanhola, um objetivo cultural e político importante tanto para muçulmanos como para judeus". Foi incumbido de várias outras missões diplomáticas complexas, envolvendo o imperador alemão Oto I (reinou entre 963 e 973) e reinos cristãos do norte, como Borgonha e Leão. No seu papel de médico, Hasdai tratou o rei Sancho, o Gordo, de Leão, por obesidade, em 964[25].

Líder judeu no país e no estrangeiro Como vizir, Hasdai tinha autoridade e autonomia para gerir os assuntos da comunidade judaica, nomeadamente os litígios internos. A sua comunidade esperava também que ele se preocupasse com o bem-estar dos judeus nos países que visitava em nome do califa. Quando se encontrava com diplomatas estrangeiros, interessava-se pelas comunidades judaicas. Se ouvisse falar de discriminação contra os judeus, tornava esse assunto objeto de negociação quando se encontrava com diplomatas desses locais. Quando se encontrava num país cristão, recordava-lhes que, no Al-Andalus islâmico, o califa permitia que os cristãos praticassem a sua religião sem entraves. Dada a reputação de Hasdai em toda a região, os judeus de outros países escreviam-lhe quando se deparavam com problemas. Sabe-se que ajudou judeus que viviam no sul de Itália e em Toulouse, no atual sul de França. Gerber escreve que a comunidade judaica acreditava que Deus tinha colocado Hasdai numa posição privilegiada para ajudar os judeus do mundo. Era considerado o príncipe de Israel, e os seus companheiros judeus chamavam-lhe ha-Nasi, o príncipe. Quando lhe chegou a notícia de que existia um reino judeu soberano no que é atualmente o sul da Rússia, Hasdai fez grandes esforços para iniciar a correspondência com o czar José de Khazar. Para estabelecer o primeiro contacto, teve de navegar cuidadosamente através de vários canais diplomáticos.

---

[25] Glick, Thomas F. Islamic and Christian Spain in the Early Middle Ages. 2ª ed. rev. Leiden-Boston: Brill, 2005. 67

Os khazares foram uma tribo nómada turca pagã durante vários séculos, numa região inacessível da Ásia Central, onde convergiam as fronteiras bizantina e muçulmana. No século VII d.C., as suas terras estendiam-se até à Crimeia e incluíam várias cidades habitadas por colonos judeus, muçulmanos e cristãos. Os khazares eram frequentemente apanhados no meio entre os exércitos beligerantes de Bizâncio e do Islão, e ambos pressionavam a sua conversão. Durante as vagas de perseguição bizantina no século VIII, os khazares deram frequentemente refúgio aos judeus. Os khazares aproveitaram a sua proximidade com as três religiões e estudaram cada uma delas para escolher a que melhor satisfazia as suas necessidades espirituais. A decisão de abraçar o judaísmo foi tomada algures no século VIII. Hasdai manteve uma correspondência detalhada com o rei José, na qual os dois líderes descreviam os seus reinos um ao outro e depois discutiam factos ou pistas que os pudessem ajudar a calcular a data da vinda do Messias. Este tema era de grande interesse para os judeus durante o período medieval. As notícias sobre esta nação judaica soberana despertaram o orgulho e reforçaram a autoestima dos judeus em todo o mundo. Os judeus guardaram a elegante correspondência de Hasdai e fizeram-na circular como fonte de orgulho durante séculos.10 Como se descreve no capítulo seguinte, Hasdai foi também homenageado pelo seu papel na introdução de um período de grandes realizações culturais que viria a ser conhecido como a Idade de Ouro judaica.

CAPÍTULO 4

# CENTRO DE APRENDIZAGEM JUDAICA E INDEPENDÊNCIA DO ORIENTE

A educação judaica no Iraque tem uma longa história que remonta a centenas de anos. As academias rabínicas orientais compilaram o Talmud babilónico entre cerca de 550 e 700 d.C. e os seus líderes, chamados gaonim, foram os principais intérpretes da lei judaica em toda a diáspora durante esse período. As duas academias mais famosas eram a Yeshiva de Sura, originalmente localizada no sul do Iraque, e a Yeshiva de Pumbedita (também conhecida como Pumbedita), localizada no norte do Iraque. Os comerciantes e académicos viajantes traziam donativos às academias para a sua manutenção e facilitavam a troca de informações sobre a aplicação da lei judaica a várias situações da vida. Os judeus da diáspora dependiam de Bagdade para calcular o calendário religioso judaico. No entanto, quando al-Andalus (Sefarad) se tornou mais versado em astronomia, os judeus espanhóis puderam efetuar os seus próprios cálculos. O declínio da importância das academias no Oriente deveu-se a uma série de factores. Em várias alturas dos séculos IX, X e XI, registaram-se distúrbios no Iraque devido a batalhas entre senhores da guerra islâmicos. Este facto provocou uma situação caótica e empobreceu a população. A academia de Sūr, outrora famosa, fechou no século IX e reabriu no século X, em Bagdade. A nomeação do grande estudioso Saadia Gaon (892-942) como diretor da academia em 928 reavivou-a. No entanto, após a morte de Saadia, a academia de Surah entrou em declínio e acabou por fechar em 1034. Saadia é recordado com carinho por ter preservado a Tora. Muitos alunos partiram e levaram consigo os seus conhecimentos da Torá, fundando yeshivas noutros países, incluindo Espanha. Também no século IX, quando a Surah estava em eclipse, a academia de Pumbedit tornou-se a academia babilónica dominante. Durante o século X, houve muita rivalidade entre os académicos sobre quem deveria liderar a academia. Os seus alunos também emigraram para outros países para fundar escolas. A academia de Pumbedit também fechou no século XII. No entanto, a

Academia de Pumbedit é recordada por dois grandes professores, Sherira ben Hanina (906-1006), mais conhecido como Sherira Gaon, e o seu filho Hai ben Sherira (939-1038), mais conhecido como Hai Gaon. Hasdai respeitava os líderes das academias de Sura e Pumbedit e correspondia-se regularmente com eles; estava ciente do declínio das academias. Ele trabalhou para preencher o vácuo e trazer uma nova era de independência e autonomia cultural para os judeus de Sefarad. Quando a Academia Sura Talmud foi temporariamente encerrada, Hasdai adquiriu uma biblioteca para a mesma. Convidou estudiosos judeus de Bagdade a mudarem-se para Espanha. Pediu ao académico imigrante de Sura Moses ben Hanoch (falecido em 965) que fundasse uma academia de estudos em Córdova, por volta de 948[26].

Moisés estabeleceu um centro de ensino judaico em Córdova que rivalizava com o de Bagdade. Um documento do Genizah do Cairo mostra que Hasdai, trabalhando para al-Hakam II, conseguiu declarar os judeus espanhóis independentes da autoridade religiosa de Bagdade.4 Hasdai lançou as bases para a supremacia do judaísmo espanhol nos séculos seguintes, quando as academias babilónicas entraram em declínio e fecharam. Embora os líderes sefarditas fossem judeus religiosos, estavam também totalmente integrados na cultura islâmica. Tal como os muçulmanos, os judeus tinham um grande respeito pela língua árabe. Adquiriram um excelente conhecimento da língua e da linguística árabes. A classe aristocrática judaica era também muito versada na cultura grega e contribuiu para o seu desenvolvimento. A maior parte dos clássicos filosóficos e científicos compostos por académicos sefarditas antes do século XII, incluindo alguns dos textos mais profundamente judaicos, foram escritos em árabe. Os judeus e os muçulmanos em Espanha também se esforçaram por conciliar as contradições do pensamento racionalista de Aristóteles com as suas próprias religiões reveladas. Não só partilhavam um vocabulário e interesses intelectuais comuns, como também chegavam frequentemente a respostas semelhantes a

---

[26] Kennedy, Hugh. When Baghdad Ruled the Muslim World: The Rise and Fall of Islam's Greatest Dynasty [Quando Bagdade Governou o Mundo Muçulmano: Ascensão e Queda da Maior Dinastia do Islão]. Cambridge, MA: Da Capo Press of Perseus Books Group, 2005. -174 p.

questões teológicas. Para os judeus, os escritos de Moisés Maimónides (1135-1204), no século XII, ajudaram a integrar o racionalismo na religião. Foi considerado o maior filho de Sefarad e também um dos maiores filósofos judeus. Nasceu em Córdova em 1135, mas a sua família foi obrigada a fugir em 1148, após a invasão de Espanha pelos Almóadas. Acabou por ir parar aos subúrbios do Cairo, onde trabalhou como médico da corte do tolerante Sultão Saladino. Escreveu em árabe e admirava os filósofos muçulmanos, especialmente o persa Ibn Sina (Avicena) (9801037) e o cordovês Ibn Rushd (Averróis) (1126-1198). No final do século XIII, todo o corpus filosófico árabe (incluindo comentários de autores judeus, como Maimónides, que escrevia em árabe) tinha sido traduzido para hebraico.

Havia semelhanças entre os padrões linguísticos do árabe e do hebraico. Os judeus escreviam frequentemente árabe com letras hebraicas. Havia também um grande interesse pela linguística e gramática hebraicas, que tinha começado antes em Bagdade e no Norte de África. Em al-Andalus, os judeus imitavam a poesia árabe, adoptando, entre outras coisas, a rima e o tamanho árabes. Esta nova dimensão da poesia levou ao desenvolvimento de uma rica corrente de poesia judaica secular e religiosa. Hasdai foi considerado um importante inovador/organizador daquilo a que mais tarde se chamaria a Idade de Ouro da cultura judaica, que durou de cerca de 950 a 1150. Samuel ibn Nagrila (993-1055) foi também considerado um importante representante desta época. Nascido e criado em Córdova, foi um estudioso e poeta prolífico, acabando por se tornar vizir da cidade-estado de Granada. Durante a Idade de Ouro, as tradições judaicas foram combinadas com a cultura árabe e islâmica para criar algo dinamicamente novo. Gerber escreve que "uma síntese tão completa da cultura judaica com elementos estrangeiros, o povo judeu não voltaria a experimentar até à Idade Moderna". A música, o canto, a dança e as artes visuais também foram importantes. Al-Andalus não foi o único centro que contribuiu para o florescimento da poesia, mas foi o mais importante. Entre os judeus que apreciaram a nova cultura contava-se uma classe internacional de comerciantes e artesãos que também dominavam o hebraico. Em Bagdade, Kairouan, na Sicília muçulmana ou no Cairo, os divertimentos poéticos também faziam parte dos tempos livres. As produções de espectáculos circulavam de cidade em cidade. À medida que as notícias sobre a vida intelectual de Córdova se tornavam conhecidas, estudiosos talentosos do Norte de África e do Egipto seguiam os passos dos artesãos e comerciantes que tinham chegado mais cedo a Espanha. O que Hasdai ibn Shaprut começou sob o patrocínio de 'Abd al-Rahman III e al-Hakam II continuaria durante gerações após a sua morte[27].

[27] La Guardia, Anton. War Without End: Israel, the Palestinians, and the Struggle for a Promised Land [Guerra sem Fim: Israel, os Palestinianos e a Luta por uma Terra Prometida]. Nova York: St. Martin's Press, 2001.-145 p.

# CAPÍTULO 5

## TRANSFERÊNCIA DE CIÊNCIAS EM ESPANHA

A circulação das ideias chinesas, indianas, persas e gregas fez-se de leste para oeste. A cosmologia grega aristotélica tornou-se a base fundamental da explicação científica. Os muçulmanos de Bagdade não só traduziram as obras dos gregos, como também sintetizaram a informação, acrescentando-lhe novos elementos sob a forma de críticas, inovações teóricas e novas observações. Do mesmo modo, as análises e as descobertas científicas tiveram lugar quando as informações e as teorias chegaram a Espanha medieval. Além disso, as ideias dos romanos e dos visigodos foram integradas na síntese. O trabalho em Espanha foi realizado por muçulmanos, judeus e cristãos e é um bom exemplo da coexistência dos três grupos. Glick e outros estudiosos escreveram que grande parte da atividade académica organizada em al-Andalus começou no século X sob o patrocínio de Abd al-Rahman III e Hasdai ibn Shaprut. Os estudiosos escreveram também que parte dessa atividade foi transferida para a Espanha cristã no mesmo século. Embora o historiador Américo Castro tenha argumentado que a cultura medieval espanhola funcionou como um ambiente passivo através do qual a ciência passou rapidamente sem impacto ou mudança, a Espanha islâmica desempenhou um importante papel ativo na continuação do processo de descoberta científica. Glick argumenta que a demografia desempenhou um papel importante no desenvolvimento da atividade científica organizada. Observa que a conversão de tantos andaluzes ao Islão no século X proporcionou mão de obra suficiente para sustentar os membros da classe culta e institucionalizar o sistema educativo. Como já foi referido no capítulo anterior, o processo de intercâmbio científico dependia do desenvolvimento de uma rede de escolas científicas de diferentes disciplinas. A rede Maslam de matemáticos e astrónomos de Madrid é um bom exemplo da organização da ciência no al-Andalus. O historiador Said al-Andalusi, um autor do século XI que escreveu sobre as realizações científicas de várias civilizações, observou que Maslama era o melhor matemático do final do século X e do início do século XI. As tabelas astronómicas de al-Battani e as obras refinadas do iraquiano al-Khwarizmi. Os seus alunos trabalhavam no quadro disciplinar que ele estabeleceu. No século XI, os seus discípulos encontravam-se amplamente dispersos por muitas capitais de ta'if (cidades-estado) importantes. Continuaram a rede, tornando-se professores de outros discípulos. O desenvolvimento das Tábuas de Toledo foi uma das grandes realizações do trabalho astronómico andaluz do final do século XI, com a participação do venerável al-Zarqal (10251100)[28].

A escola andaluza de agrónomos de meados do século XI e do início do século XII apresenta padrões de comunicação menos formais. A escola começou por se estabelecer em Toledo, onde Ibn Wafid (d. 1075) trabalhou no jardim real de al-Mamun. Após a conquista cristã da cidade em 1083, o aluno de Ibn Waleed, Ibn Luengo (d. 1105), e o seu colega Ibn Bassa mudaram-se para Sevilha. Aí entraram em contacto com outros agrónomos sevilhanos, bem como com al-Tignari de Granada7. A grande escola de filósofos aristotélicos de Sevilha, do século XII, também tinha as suas redes de comunicação. A pessoa mais importante desta escola foi Ibn Tufayl (d. 1185). Estava associado ao seu professor Ibn Bajja (d. 1139) e a outros contemporâneos como Ibn Rushd (Averroes) (d. 1198) e Ibn Zahra (d. 1162). a existência de uma estrutura educativa de apoio ao progresso científico e cultural. Colocaram no lugar pessoas cujos contributos beneficiariam as gerações futuras. O que eles fizeram crescer cultural e politicamente deslocou-se para norte, à medida que os cristãos avançavam para sul, para o território muçulmano. O facto de terem reconhecido este facto e de o terem aproveitado, em vez de o destruírem, é mérito deles. Os cristãos, por sua vez, imitaram os mesmos processos de descoberta e tradução. O trabalho de tradução liderado pelos cristãos começou em Toledo. O rei Afonso VI de Castela fez de Toledo a sua capital em 1085. Sob o reinado de Afonso VI e dos seus descendentes, especialmente de Afonso X, Toledo tornar-se-á o paraíso dos eruditos e a capital europeia da tradução nos séculos XII e XIII. No entanto, foram os judeus que desempenharam o papel mais importante nos processos de tradução, pois muitos deles eram trilingues, conhecendo o

---

[28] Lewis, Bernard. The Arabs in History. 6ª ed. rev., 1993. Reimpressão, Nova Iorque: Oxford University Press Inc., 2002. -63 p.

hebraico, o árabe e as línguas românicas. Tinham já experiência de tradução do árabe para o hebraico e de escrita em judaico-árabe (o árabe era escrito com letras hebraicas). Criaram um meio flexível de expressão científica e filosófica. Esta experiência permitiu-lhes criar praticamente uma nova linguagem científica em latim e nas línguas vernáculas. Traduziram também todo o corpus aristotélico para hebraico. Quando o estudo da filosofia no mundo islâmico entrou em declínio, após a morte de Averróis, foram as versões hebraicas que se tornaram o material de base para a Europa.

Em Toledo, o arcebispo cristão Raimundo de Toledo (c. 1125-1151) organizou equipas de tradutores para examinar documentos escritos em siríaco, aramaico, árabe, hebraico e grego e traduzi-los para latim. As equipas eram constituídas por judeus, cristãos e muçulmanos. Além disso, o Corão foi traduzido para latim em 1143 por Robert de Ketton e dois outros colaboradores, mas o seu objetivo era demonstrar as opiniões heréticas do Profeta Maomé. O rei Afonso X, o Sábio (1254-1284), tornou-se um importante mecenas da cultura cristã na Idade Média. Valorizou particularmente o trabalho de tradução dos judeus e encarregou-os de desenvolver a sua língua nativa, o castelhano, e de traduzir documentos árabes para castelhano e latim. Ao mesmo tempo, porém, promulgava códigos legais que restringiam a comunidade judaica. A estrutura educativa estabelecida por Abd al-Rahman e Hasdai lançou as bases para as descobertas científicas e filosóficas que continuaram em Espanha[29]. Os cristãos imitariam o modelo muçulmano. Os contributos dos filósofos, estudiosos e tradutores muçulmanos, judeus e cristãos deram origem a um rico património cultural difundido e trocado em Al-Andalus e permitiram a transmissão de ideias para a Europa. Este é o melhor exemplo de coexistência. Isto aconteceu apesar das batalhas entre grupos muçulmanos e entre muçulmanos e cristãos, que tentaram avançar para os territórios uns dos outros.

---

[29] Mann, Vivian, Thomas F. Glick e Jerrilyn Dodds, eds. Convivencia: Jews, Muslims, and Christians in Medieval Spain [Convivência: Judeus, Muçulmanos e Cristãos na Espanha Medieval]. Nova Iorque: George Braziller, 1992. -81 p.

# CAPÍTULO 6

# MUDANÇAS POLÍTICAS APÓS ABD AL-RAHMAN III E AL-HAQAM II

Abd al-Rahman ibn Muhammad, conhecido como Abd al-Rahman III, viveu de 891 a 961 e governou de 912 a 961. Era de raça mista, sendo três quartos hispano-basco e um quarto árabe. Dizia-se que tinha olhos azuis e cabelo louro, como a sua avó cristã de Pamplona. Diz-se que pintou o cabelo de preto para se parecer mais com o líder árabe muçulmano ideal1. Abd al-Rahman III trouxe ordem ao reino. Ofereceu o perdão a todos os rebeldes que se submetessem à sua autoridade e o castigo aos que não o fizessem. As tribos andaluzas de origem árabe renovaram a sua lealdade e ajudaram-no a pôr fim à rebelião de Ibn Hafsun, morto em 917, derrotando os quatro filhos de Ibn Hafsun em Bobastro, em 928 . Abd al-Rahman III também teve de enfrentar o crescente poder da dinastia muçulmana Fatimida no Norte de África. Os fatímidas construíram uma nova capital na costa da Tunísia em 909. A partir daí, espalharam-se para ocidente e em breve começaram a ameaçar as cidades costeiras de al-Andalus. Em resposta, Abd al-Rahman III reforçou as suas fortificações costeiras e estabeleceu bases na costa marroquina em Melilla (927), Ceuta (931) e Tânger (951). A partir daqui, fez alianças com chefes berberes. Um ano depois, forças fatímidas da Sicília incendiaram a cidade andaluza de Almeria. Em 955, o califa construiu uma nova marinha. Quando os fatímidas viram que já não podiam avançar no Ocidente, voltaram-se para o Oriente e conquistaram o Egipto em 969, fazendo do Cairo a sua capital em 972. Abd al-Rahman III era conhecido pela sua tolerância em questões religiosas e encorajava o espírito de cooperação. De todos os governantes medievais espanhóis, muçulmanos ou cristãos, foi o que mais se aproximou do espírito de convivência, uma palavra utilizada pelos historiadores Pidal e Castro para descrever a coexistência idealizada de muçulmanos, judeus e cristãos na Espanha muçulmana. Foi o mais tolerante de todos os omíadas que governaram em Espanha. Colaborou com os muçulmanos e muwalladuns para reduzir a sua resistência. Permitiu que os cristãos e os judeus praticassem a sua religião sem opressão. Ao reconciliar-se com os muçulmanos e muwalladun, Abd al-Rahman III acelerou a sua assimilação numa sociedade mais homogénea. Glick cita as tabelas de conversão de Richard Bulliet, que indicam que cerca de 80% da população se converteu ao Islão no século X. Pensa-se que a maioria das pessoas se converteu por razões económicas e de prestígio. Este padrão também alterou a sociedade, no sentido em que os antigos convertidos começaram a ser mais numerosos do que os novos convertidos, o que aumentou a possibilidade de novas tensões no futuro. Este facto fez de Al-Andalus uma sociedade menos árabe.

A atitude de Abd al-Rahman III para com os judeus era muito melhor do que na maioria dos outros reinos muçulmanos em Espanha e noutros locais. Muitos judeus participavam na vida da corte. A sua estratégia consistia em reconciliar os seguidores das diferentes religiões e dos diferentes grupos étnicos que viviam sob o seu domínio e uni-los num só reino. O seu governo baseou-se na cooperação entre os diferentes grupos nacionais, étnicos e religiosos do seu reino: árabes, berberes, judeus e cristãos descendentes da população ibero-latina. Ofereceu aos seus súbditos oportunidades iguais de participação nos assuntos públicos e de ascensão no serviço público. Alternou frequentemente entre a população cargos importantes na corte, no exército e na administração civil. Também colocou antigos escravos em cargos públicos. Abd al-Rahman III dirigiu um governo eficaz, tanto a nível central como provincial. A sua consistência nos assuntos públicos e a duração do seu governo contribuíram para os seus muitos êxitos. Abd al-Rahman III queria que o seu reino fosse o único califado verdadeiro. Abd al-Rahman III reivindicava uma autoridade absoluta e infalível, tanto em questões espirituais como temporais. Afirmando ser o verdadeiro sucessor do Profeta Maomé, considerava-se o único líder e chefe da comunidade muçulmana mundial e o intérprete da vontade de Deus expressa no Alcorão. Também adoptou o honroso nome de Defensor da Religião de Deus, entre outros. Nesta altura, passou a ser recordado nas orações públicas em Al-

38

Andalus. Este facto elevou-o acima do povo e, na sua opinião, acima do califa abássida de Bagdade. Nesta altura, o poder secular dos abássidas estava a diminuir. Quando Abd al-Rahman III se autoproclamou o único verdadeiro califa, aumentou a inveja dos abássidas de Bagdade e dos fatimidas do Norte de África[30].

Abd al-Rahman III adoptou o costume persa e abássida de o governante se tornar inacessível às massas. Foram criados procedimentos cerimoniais complicados para a corte. Para reforçar ainda mais a sua inacessibilidade, construiu um grande palácio nos arredores de Córdova, em Madinat az-Zahar, para onde transferiu todos os serviços governamentais. Esta inacessibilidade, bem como os elevados custos para os ricos, começariam a desencorajar o cidadão comum. Abd al-Rahman III governou através da hierarquia dos escravos e aumentou consideravelmente o número de mercenários berberes do Norte de África para apoiar o esforço de guerra dos Omíadas na frente norte. Nos seus últimos dias, os escravos da Europa de Leste, conhecidos como sakiliba (eslavos), ocuparam vários cargos importantes e o seu número aumentou. Este facto provocou o descontentamento de outros grupos da administração e acabou por contribuir para a queda do califado omíada em 1031. Abd al-Rahman III morreu no auge do seu poder, em 961, e o seu filho erudito, o califa al-Hakam II (961-971), continuou a sua grande vida. Uma das suas realizações foi a criação de bibliotecas em Córdova. Só a biblioteca real continha pelo menos 400.000 livros. Tinha uma equipa de escribas para reproduzir livros, que recebia até da Pérsia. Continuou a patrocinar estudiosos, especialmente o astrónomo Maslama de Madrid, que se tinha mudado para Córdova. Al-Hakam II recebe os enviados do rei de Navarra, do regente de Leão, dos condes de Castela, da Galiza e de Barcelona, que vêm prestar homenagem ao governante daquele que se tornou o maior centro cultural da

---

[30] Menocal, Maria Rosa. The Ornament of the World: How Muslims, Jews, and Christians Created a Culture of Tolerance in Medieval Spain [O Ornamento do Mundo: Como Muçulmanos, Judeus e Cristãos Criaram uma Cultura de Tolerância na Espanha Medieval]. Nova Iorque: Tusk Bay Books/Little, Brown and Company, 2002. -175 p.

Europa. Tal como o seu pai, continuou a importar soldados berberes e ordenou incursões militares em territórios cristãos. A morte de al-Hakam II provocou uma crise dinástica, pois o seu herdeiro era ainda uma criança. Para além disso, os fortes ciúmes entre muitos grupos étnicos de Córdova e o seu lugar na ordem social seriam a principal razão para a queda do califado omíada em 1031[31].

A rica atmosfera cultural que Abd al-Rahman III tornou possível em Sevilha, Toledo, Granada, Málaga e Lusena eram centros mais pequenos de civilização avançada. Por esta altura, grande parte do trabalho científico, matemático, astronómico, médico, filosófico e intelectual avançado realizado pelos abássidas em Bagdade tinha chegado a Al-Andalus. 'Abd al-Rahman III e Hasdai ibn Shaprut encorajaram e financiaram os académicos andaluzes a traduzir, estudar e desenvolver este conjunto de conhecimentos. 'Abd al-Rahman III queria tornar al-Andalus independente do poder abássida oriental de Bagdade em todos os domínios: intelectual, religioso e militar. O seu vizir Hasdai ibn Shaprut ajudou-o neste esforço, porque tinha o mesmo desejo de independência espiritual dos judeus em relação às autoridades intelectuais e religiosas judaicas orientais. Abd al-Rahman III encorajou o desenvolvimento do fabrico de papel na cidade de Hativa, em Valência. Os chineses ensinaram pela primeira vez aos habitantes de Bagdade o fabrico de papel no século VIII. A utilização do papel no mundo muçulmano facilitou a transmissão de ideias e a distribuição de livros para grandes bibliotecas. A circulação das ideias científicas dependia frequentemente de redes de comunicação organizadas e da criação de escolas. Por exemplo, o astrónomo e professor Maslama de Madrid (d. c. 1007) criou uma escola de astrónomos que foi continuada pelos seus alunos e pelos alunos destes. Adaptou as tabelas astronómicas do iraquiano al-Hwarizimi ao al-Andalus. Maslama criou uma geração de astrónomos que, no século XI, fez grandes progressos na construção e utilização de astrolábios. Cada geração alargou o trabalho da geração anterior. O astrolábio acabaria por ser utilizado nos navios durante os

---

[31] Terry, Michael, ed. Readers Guide to Judaism, s.vv. Yeshivot: Medieval e Sefardita. Chicago: Fitzroy Dearborn Publisher, 2000. 65

40

descobrimentos portugueses. O trabalho realizado em Al-Andalus chegou à Europa Latina e estimulou o trabalho posterior de Copérnico e Galileu. Em Espanha, as tradições latina e visigótica também produziram um valioso trabalho científico antes da invasão muçulmana, do qual foram incorporados elementos importantes. A magnífica arquitetura do período omíada é amplamente reconhecida. Os palácios e as mesquitas foram influenciados pela arquitetura romana, visigótica, bizantina e muçulmana oriental. Al-Hakam II prosseguiu a expansão da mesquita de Córdova, com as suas filas e filas de arcos de ferradura duplos listados[32]. No entanto, concentrou-se em ampliar e decorar a parte que só os governantes podiam utilizar. Este facto afastou o cidadão comum e foi outro fator que acabou por conduzir à queda do Califado Omíada[33].

A realização arquitetónica de Abd al-Rahman III foi a construção do grande palácio de Madinat al-Zahra, nas encostas da Serra de Córdova. Atualmente, as escavações e as ruínas parcialmente reconstruídas mostram a dimensão e a riqueza da cidade palaciana. Tinha grandes salões com colunatas, jardins geométricos e fontes em cascata. Neste e noutros locais de escavação, os arqueólogos encontraram materiais de construção provenientes tanto de al-Andalus como de países estrangeiros e notaram as competências avançadas dos andaluzes na utilização dos materiais. Encontraram ferramentas bem preservadas e outros objectos feitos de aço de alta qualidade nas ruínas do palácio. Encontraram provas de um trabalho artesanal requintado na utilização de bronze, latão, ferro, marfim, mármore, vidro e pedras preciosas. Encontraram também tigelas de porcelana de design chinês. Além disso, as elaboradas noras (rodas de água) eram utilizadas não só para fins funcionais, mas também para fins decorativos nas terras reais. O que é significativo no caso de Abd al-

---

[32] Zozaya, Juan. Material Culture in Medieval Spain [Cultura Material em Espanha Medieval]. In Convivencia: Jews, Muslims, and Christians in Medieval Spain, editado por Vivian Mann, Thomas F. Glick e Jerrilyn Dodds, 157-174. Nova Iorque: George Braziller, 1992.-93 p.
[33] Novikoff, Alex. Entre a tolerância e a intolerância em Espanha medieval: um enigma historiográfico. Medieval Encounters: Jewish, Christian, and Muslim in Confluence and Dialogue 11, no. 1-2 (2005): 7-36

Rahman III e Hasdai ibn Shaprut é o facto de terem criado um ambiente em que o talento intelectual e cultural podia ser cultivado. Não só beneficiaram dos conhecimentos avançados provenientes do Oriente muçulmano, como também se empenharam ativamente na criação de uma estrutura educativa e de comunicação que lhes permitisse continuar a adaptar novos métodos e a analisar melhor a informação científica recolhida. Criaram pessoas cujas contribuições beneficiarão as gerações futuras.

Os judeus eram por vezes muito apreciados como comerciantes e por facilitarem o comércio com outros países, aumentando assim as receitas do seu governo. Por outro lado, estavam sujeitos às políticas anti-judaicas do período visigótico. A determinação anti-judaica da monarquia e da Igreja foi particularmente intensa nas duas últimas décadas do domínio visigótico. Alguns historiadores afirmam que os judeus terão encarado os muçulmanos como libertadores. Em todo o caso, desde o início da invasão muçulmana, os judeus cooperaram e colaboraram politicamente com os muçulmanos. Os judeus desempenharam um papel importante nas cidades onde o seu número era significativo, como Córdova, Mérida, Esija, Jaén, Toledo e Cuenca. Após a conquista de uma cidade pelos muçulmanos, estes negociavam com a população indígena a posse da cidade enquanto prosseguiam a invasão. Muitas vezes, os judeus eram os líderes dos que governavam as cidades em nome dos muçulmanos. David Lewis escreve que "regiões inteiras do reino recém-conquistado foram mais tarde asseguradas pela migração em massa de judeus para locais escassamente povoados ao longo da costa mediterrânica (Málaga, Granada, Almeria, Alicante) e para centros urbanos, cujo carácter católico diluíram com o seu número (Múrcia, Pamplona, Guadalajara, Salamanca, Saragoça)". Os muçulmanos admiravam os seus bons negócios e capacidades administrativas. Os judeus mostraram aos muçulmanos como gerir o seu reino. Com o tempo, fizeram-no tão bem que alguns deles chegaram ao alto cargo de vizir[34].

---

[34] Rubenstein, Richard E. Aristotle's Children: How Christians, Muslims, and Jews Rediscovered Ancient Wisdom and Illuminated the Middle Ages [Os Filhos de Aristóteles: Como Cristãos, Muçulmanos e Judeus Redescobriram a Sabedoria Antiga e Iluminaram a Idade Média]. Nova Iorque:

Os judeus, tal como os muçulmanos, estavam bem representados numa série de profissões. Alguns exemplos incluem o trabalho no sector industrial, na agricultura, na medicina, na função pública, no comércio e na banca. Eram encorajados a participar em todos os sectores da vida. O mundo islâmico incentivava a procura de lucro e a vida mercantil. Afinal, a fé islâmica nasceu numa sociedade onde o comércio era o principal modo de vida. Isto contrastava com a forma como os judeus eram tratados na Europa nos séculos posteriores, onde eram confinados a profissões em que os governantes os utilizavam para interagir com a população em geral de formas geralmente impopulares, como a usura e a cobrança de impostos. Sabe-se muito sobre o comércio no mundo mediterrânico através da correspondência comercial privada de mercadores judeus que sobreviveu. Os documentos estão preservados na genizah do Cairo. A genizah era uma sala da sinagoga onde se deitavam fora papéis e objectos em que estava escrito o nome de Deus. Não podiam ser queimados ou destruídos de qualquer outra forma, por receio de se cometer um sacrilégio ao destruir os papéis ou objectos em que estava escrito o nome de Deus. Embora alguns judeus desempenhassem um papel importante na sociedade muçulmana, nunca foram considerados iguais aos muçulmanos. No entanto, não eram o único grupo de zimmis - todos os não muçulmanos do Povo do Livro o eram - pelo que não eram tratados de forma mais negativa do que qualquer outro grupo[35].

Abd al-Rahman III morreu em 961, e quando o seu filho, o califa al-Hakam II, morreu em 971, o único herdeiro era uma criança. Houve dificuldades de sucessão entre os três oficiais de al-Hakam II. Em 981, um desses homens, Muhammad ibn Abi Amir al-Maafari, que se auto-intitulava al-Mansur, foi nomeado "prefeito do palácio" em al-Andalus. Fletcher escreve que al-Mansur, conhecido em latim como Almanzor, foi capaz de manter uma relativa ordem interna, mas as suas acções conduziram ao caos após a sua morte, em 1002.

Harcourt Inc., 2003. -187 p.
[35] Ray, Jonathan. The Sephardic Frontier: The Reconquista and the Jewish Community in Medieval Iberia [A Fronteira Sefardita: A Reconquista e a Comunidade Judaica na Ibéria Medieval]. Ithaca: Cornell University Press, 2006. -49 p.

cristãos do norte. A sua ferocidade aumentou o desejo dos cristãos de o derrotarem e de entrarem em território muçulmano. Para horror de muitos dos seus súbditos, contratou cristãos como mercenários e importou mais berberes do Norte de África para o seu exército. Conseguiu, assim, romper o equilíbrio étnico entre os vários grupos do al-Andalus. Após a sua morte, a luta entre os grupos muçulmanos intensificou-se. Foram os almorávidas berberes do Norte de África que puseram oficialmente fim ao califado omíada centralizado, em 1031.

Após o colapso dos omíadas, muitas pessoas mudaram-se para cidades-estado separadas (também chamadas taifas, pequenos reinos e reinos partidários) e levaram consigo o espírito cultural de Córdova. Das mais de trinta cidades-estado, algumas tornaram-se bastante independentes e, dentro de certos limites, poderosas. Toledo, Sevilha, Granada, Lucena e outras cidades importantes competiam entre si, tanto a nível militar como cultural. Córdova, como uma das cidades-estado, continuou a ser um centro cultural. Lucena era uma cidade próspera com uma grande população judaica. Os judeus foram particularmente produtivos durante este período no desenvolvimento de novos tipos e usos da poesia, à medida que a idade de ouro da cultura judaica continuava. Samuel ibn Nagrila (apelidado Nagid após a sua nomeação como chefe da comunidade judaica) ganhou fama como vizir judeu do rei muçulmano Badis da cidade-estado de Granada. Foi também comandante do exército do rei e teve sucesso nas batalhas. Era um grande poeta que descrevia frequentemente as suas batalhas em verso. Após a morte de Samuel, em 1056, o seu filho José foi nomeado primeiro ministro do rei Badis. No entanto, em 1066, houve um pogrom anti-judaico, do qual José foi particularmente vítima. Ele e outros judeus foram assassinados3. Em 1090, os almorávidas tinham anexado completamente o que restava de Taif no al-Andalus. As suas tentativas de impor uma forma mais conservadora e fundamentalista de Islão aos andaluzes depararam-se com resistência e agitação civil. Mais tarde, um regime muçulmano berbere do Norte de África, os Almóadas, ainda mais repressivo, derrubou os Almorávidas em 1148[36].

À medida que os regimes berberes conservadores se deslocavam para norte, um grande número de muçulmanos, judeus e muçulmanos foram incorporados nos reinos cristãos do norte. Simultaneamente, os cristãos emigravam do norte da Europa para experimentar a excitante atmosfera cultural. Este afluxo de pessoas levou ao crescimento da população dos reinos cristãos. As etapas seguintes da Reconquista Cristã em Espanha, que viria a infligir tantos danos aos muçulmanos e aos judeus, foram lidas involuntariamente.

---

[36] Roth, Norman, ed. Medieval Jewish Civilisation: An Encyclopedia, s.v. "Islam and Jews". "Islam and Jews" [O Islão e os Judeus]. Nova Iorque: Routledge, 2003. 58

## CONCLUSÃO

O que tornou possível este período de intenso florescimento cultural na Espanha muçulmana do século X, entre três grupos religiosos que pareciam ver o mundo de forma muito diferente e não confiavam totalmente uns nos outros? Quando se examina o tempo e o lugar no mundo islâmico medieval em que se verificou uma explosão tão incrível de conhecimento e cultura em todo o Mediterrâneo, vêm à mente vários factores importantes que o tornaram possível. Em primeiro lugar, era necessário ter líderes capazes de reconhecer uma cultura ou elementos culturais mais complexos numa civilização estrangeira e não se deixar ameaçar por eles. A história mostrou-nos que isto é mais difícil do que parece. Em segundo lugar, os líderes tinham de ser capazes de discernir a forma como os novos elementos culturais poderiam ser incorporados para expandir os seus domínios sem causar medo entre o seu próprio povo. Em terceiro lugar, as épocas de relativa paz interna com governantes tolerantes facilitaram a transferência de ideias entre países e a introdução de novas ideias a nível interno. Uma vez reconhecida uma cultura ou um elemento cultural novo e mais sofisticado do que o seu, os líderes tinham de decidir se os incorporavam na sua própria sociedade, se os ignoravam ou se os destruíam. Os muçulmanos do Oriente tiveram a capacidade de reconhecer elementos culturais mais complexos quando encontraram os bizantinos (conhecimento grego), os persas, os indianos e os chineses. Os visigodos reconheceram a superioridade da cultura romanizada de Espanha depois de terem conquistado o país. Os governantes omíadas de Al-Andalus, originários do Oriente muçulmano, continuaram a reconhecer e a incorporar conhecimentos mais avançados. O rei cristão Afonso VI e os seus descendentes, especialmente o rei Afonso X, conseguiram ver e adotar elementos culturais avançados em Al-Andalus nos séculos XI a XIII. Em contrapartida, os almorávidas e os almóadas, tribos berberes fundamentalistas do Norte de África, ficaram chocados com a cultura que encontraram no Al-Andalus, e tentaram destruí-lo. As Cruzadas cristãs europeias no Médio Oriente foram outro exemplo de destruição desenfreada. Estes bárbaros cristãos

46

estavam tão determinados a destruir uma civilização que já tinha lançado as sementes que constituíram a base do posterior Renascimento europeu.

O que é que o líder muçulmano omíada Abd al-Rahman III e o seu talentoso vizir judeu Hasdai ibn Shaprut tinham de especial? Terá sido o facto de os líderes certos estarem no poder, no lugar certo e na altura certa? Ambos trouxeram uma perspetiva de visão do mundo para os seus esforços. Ambos estavam dispostos a ultrapassar a compartimentação mais ortodoxa das suas comunidades religiosas e a envolver-se com outros grupos. Cada um deles tinha a curiosidade de encorajar a exploração do pensamento racional aristotélico, o que constituía um desafio direto à utilização da religião para explicar tudo. Este facto, por si só, poderia ter desencadeado uma revolução fundamentalista. Estes dois ousaram ultrapassar os limites habituais das suas sociedades, tanto por razões comerciais como científicas. Tiraram o máximo partido da grande mistura de culturas mediterrânicas. Abd al-Rahman III provinha de uma linhagem de governantes omíadas que valorizavam a erudição e eram, na sua maioria, tolerantes em relação a outros grupos. Os três governantes mais bem sucedidos, Abd al-Rahman I, Abd al-Rahman II e Abd al-Rahman III, foram os mais tolerantes e tiveram um governo longo e relativamente pacífico nos seus territórios. No entanto, a palavra-chave é "relativamente", porque nunca houve uma harmonia total entre as facções muçulmanas no território e havia ameaças externas de reinos cristãos do norte, bem como de outros grupos tribais muçulmanos. As qualidades pessoais de Abd al-Rahman III e o ambiente em que cresceu parecem ter desempenhado um papel muito importante na sua personalidade como governante. Talvez fosse tão tolerante como era em relação a outras religiões e raças porque ele próprio pertencia a uma raça mista que incluía também uma herança religiosa mista (muçulmana e cristã). Diz-se que era três quartos hispano-basco e um quarto árabe. Parece ter-se inspirado, e ao seu estilo de governo, em Abd al-Rahman II (822-852), o seu trisavô. Tal como Abd al-Rahman II, abordou os desafios do seu tempo de forma inovadora e apoiou a ciência e a cultura artística. Permitiu que os cristãos e os judeus praticassem a sua religião sem grandes interferências. Conseguiu pôr ordem num ambiente caótico em que as diferentes facções lutavam entre si. Tinha uma abordagem ao governo que abrangia todos os grupos do seu reino. Para além disso, dirigiu um governo muito eficaz. A sua consistência na governação e a duração do seu governo contribuíram para o seu sucesso. Neste aspeto, era semelhante a Abd al-Rahman II. Abd al-Rahman III apercebeu-se de que tinha de ser cuidadoso na condução dos assuntos de Estado com outros países não governados por muçulmanos. Sabia que isso poderia perturbar os sentimentos de alguns muçulmanos conservadores de al-Andalus. Por esse motivo, incluiu no seu corpo diplomático cristãos e judeus de confiança. O seu vizir, Hasdai ibn Shaprut, também tinha um passado e uma herança impressionantes. Hasdai teve a sorte de ser oriundo de uma família de judeus prósperos que possuíam uma cultura própria e rica. As suas qualidades pessoais e o ambiente em que cresceu prepararam-no para os importantes papéis que viria a desempenhar na vida futura. Hasdai era filho do instruído, influente e rico rabino Isaac b. Ezra ibn Shaprut. O rabino era conhecido pela sua preocupação com a comunidade e a religião judaicas e ajudou muitos académicos e escritores judeus. Assegurou que Hasdai recebesse uma educação completa com tutores privados, que incluía disciplinas como medicina, línguas, estudos religiosos, poesia e escrita. Hasdai aprendeu línguas habitualmente utilizadas no Al-Andalus, como o hebraico, o árabe, o latim e as línguas românicas. Os judeus recordam com carinho Hasdai como um promotor da vida judaica em Sefarad e no mundo judaico. Foi ele que deu início a uma nova era de erudição que viria a ser conhecida como a idade de ouro da cultura judaica. As suas capacidades como vizir e diplomata trouxeram muitos benefícios ao reino de Abd al-Rahman III e a todo o povo de Al-Andalus. Abd al-Rahman III e Hasdai ibn.

Os Capuchinhos criaram uma estrutura educativa na Espanha medieval na qual o talento intelectual e cultural podia florescer. Colocaram no terreno pessoas cujos contributos beneficiariam as gerações futuras. Incentivaram o desenvolvimento de ideias e tecnologias provenientes do mundo muçulmano oriental.

Muçulmanos, judeus e cristãos participaram neste esforço. Quando os cristãos começaram a dominar o norte de Espanha, ficaram espantados com a cultura que encontraram. Replicaram então o processo de descoberta científica e o conceito de equipa de tradução que existia em Al-Andalus para continuar a transferir informações e teorias para a Europa. Esta seria a base do Renascimento europeu. Tanto Abd al-Rahman III como Hasdai ibn Shaprut beneficiaram grandemente da forma como foram educados pelas suas famílias e pelas sociedades estabelecidas pelos seus antepassados. Utilizaram os seus notáveis talentos para desenvolver o que já estava estabelecido.

## LISTA DE REFERÊNCIAS

1   Armstrong, Karen. Islam: A Short History [Islão: Uma Breve História]. Nova Iorque: Random House, 2000. Ashtor, Eliyahu. The Jews of Moslem Spain [Os Judeus da Espanha Muçulmana]. Vol. 1. Filadélfia: Sociedade Judaica de Publicações da América, 1973. -273 p.

2   Bachrach, Bernard S. A Reassessment of Visigothic Jewish Policy, 589-711. The American Historical Review 78, no. 1 (fevereiro de 1973): 11-34.

3   Baer, Yizthak. A History of the Jews in Christian Spain [Uma História dos Judeus na Espanha Cristã]. Filadélfia: The Jewish Publication Society of America, 1978. -537 p.

4   Bulliet, Richard W. Conversion to Islam in the Medieval Period: An Essay in Quantitative History [Conversão ao Islão no Período Medieval: Um Ensaio de História Quantitativa]. Cambridge, MA: Harvard University Press, 1979.

5   Chidester, David. Christianity: A Global History [Cristianismo: Uma História Global]. Nova Iorque: HarperCollins Publisher, 2000.-656 p.

6   Eliade, Mircea, ed. The Encyclopedia of Religion, s.v. Theodosius. Nova Iorque: Macmillan Publishing Company, 1987. -145 p.

7   Esposito, John L., ed. The Oxford History of Islam [A História do Islão de Oxford]. Nova Iorque: Oxford University Press, 1999. -749 p.

8   Fletcher, Richard. Moorish Spain. Nova Iorque: Henry Holt and Company, 1992.-206 p.

9   Gerber, Jane S. The Jews of Spain: A History of the Sephardic Experience [Os Judeus de Espanha: Uma História da Experiência Sefardita]. Nova Iorque: Free Press, 1992. -400 p.

10 Gerli, E. Michael, ed. Medieval Iberia: An Encyclopedia, s.vv. Abd al-Rahman III, Califa de Córdova e Hasdai Ibn Shaprut. Nova Iorque: Routledge, 2003.

11 Gilbert, Martin. Israel: A History [Israel: Uma História]. Nova York: William Morrow and Company, 1998.-848 p.

12 Glick, Thomas F. Convivencia: An Introductory Note. Em Convivencia:

Jews, Muslims, and Christians in Medieval Spain, editado por Vivian Mann, Thomas F. Glick e Jerrilyn Dodds, 1-9. Nova York: George Braziller, 1992.

13 Glick, Thomas F. Islamic and Christian Spain in the Early Middle Ages. 2ª ed. rev. Leiden-Boston: Brill, 2005.

14 Karabell, Zachary. Peace Be Upon You: The Story of Muslim, Christian, and Jewish Coexistence [A Paz esteja convosco: A História da Coexistência entre Muçulmanos, Cristãos e Judeus]. Nova Iorque: Knopf, 2007. -352 p.

15 Kennedy, Hugh. When Baghdad Ruled the Muslim World: The Rise and Fall of Islam's Greatest Dynasty [Quando Bagdade Governou o Mundo Muçulmano: Ascensão e Queda da Maior Dinastia do Islão]. Cambridge, MA: Da Capo Press of Perseus Books Group, 2005. -376 p.

16 La Guardia, Anton. War Without End: Israel, the Palestinians, and the Struggle for a Promised Land [Guerra sem Fim: Israel, os Palestinianos e a Luta por uma Terra Prometida]. Nova York: St. Martin's Press, 2001.-448 p.

17 Lewis, Bernard. The Arabs in History. 6ª ed. rev., 1993. Reimpressão, Nova Iorque: Oxford University Press Inc., 2002. -256 p.

18 Mann, Vivian, Thomas F. Glick e Jerrilyn Dodds, eds. Convivencia: Jews, Muslims, and Christians in Medieval Spain [Convivência: Judeus, Muçulmanos e Cristãos na Espanha Medieval]. Nova Iorque: George Braziller, 1992. - 263 p.

19 Menocal, Maria Rosa. The Ornament of the World: How Muslims, Jews, and Christians Created a Culture of Tolerance in Medieval Spain [O Ornamento do Mundo: Como Muçulmanos, Judeus e Cristãos Criaram uma Cultura de Tolerância na Espanha Medieval]. Nova Iorque: tBusk Bay Books/Little, Brown and Company, 2002. -315 p.

20 Novikoff, Alex. Entre a tolerância e a intolerância em Espanha medieval: um enigma historiográfico. Medieval Encounters: Jewish, Christian, and Muslim in Confluence and Dialogue 11, no. 1-2 (2005): 7-36

21 O'Callaghan, Joseph F. A History of Medieval Spain. Ithaca: Cornell University Press, 1975. -736 p.

22 Ray, Jonathan. The Sephardic Frontier: The Reconquista and the Jewish

Community in Medieval Iberia [A Fronteira Sefardita: A Reconquista e a Comunidade Judaica na Ibéria Medieval]. Ithaca: Cornell University Press, 2006. -224 p.

23 Roth, Norman, ed. Medieval Jewish Civilisation: An Encyclopedia, s.v. "Islam and Jews". "Islam and Jews" [O Islão e os Judeus]. Nova Iorque: Routledge, 2003.

24 Rubenstein, Richard E. Aristotle's Children: How Christians, Muslims, and Jews Rediscovered Ancient Wisdom and Illuminated the Middle Ages [Os Filhos de Aristóteles: Como Cristãos, Muçulmanos e Judeus Redescobriram a Sabedoria Antiga e Iluminaram a Idade Média]. Nova Iorque: Harcourt Inc., 2003. -384 p.

25 Stillman, Norman A. The Jews of Arab Lands: A History and Source Book [Os Judeus das Terras Árabes: Uma História e um Livro de Fontes]. Filadélfia: The Jewish Publication Society of America, 1979. -474 p.

26 Terry, Michael, ed. Readers Guide to Judaism, s.vv. Yeshivot: Medieval e Sefardita. Chicago: Fitzroy Dearborn Publisher, 2000.

27 Zozaya, Juan. Material Culture in Medieval Spain [Cultura Material em Espanha Medieval]. In Convivencia: Jews, Muslims, and Christians in Medieval Spain, editado por Vivian Mann, Thomas F. Glick e Jerrilyn Dodds, 157-174. Nova Iorque: George Braziller, 1992.263 p.